*APRENDER
ANTROPOLOGIA*

FRANÇOIS LAPLANTINE

APRENDER ANTROPOLOGIA

Tradução:
Marie-Agnès Chauvel

Prefácio:
Maria Isaura Pereira de Queiroz

editora brasiliense

Copyright © by *François Laplantine,* representado por Robert Laffont, 1987
Título original em francês: *Clefs pour L'anthropologie*
Copyright © da tradução brasileira: *Editora Brasiliense ltda.*
Nenhuma parte desta publicação pode ser gravada,
armazenada em sistemas eletrônicos, fotocopiada,
reproduzida por meios mecânicos ou outros quaisquer
sem autorização prévia da editora.

Primeira edição, 1988
30ª reimpressão, 2017

Diretora Editorial: *Maria Teresa B. de Lima*
Editor: *Max Welcman*
Produção Gráfica: *Laidi Alberti*
Diagramação: *Digitexto Bureau e Gráfica*
Revisão: *Ricardo Miyake*
Fotos de Capa: *Antonio Carlos Garcia*

Dados Internacionais de catalogação na Publicação (CIP)
(Câmara Brasileira do Livro, SP, Brasil)

Laplantine, François
    Aprender Antropologia / François Laplantine ;
tradução Marie-Agnès Chauvel ; prefácio Maria
Isaura Pereira de Queiroz. – – São Paulo :
Brasiliense, 2012.

    Título original: Clefs pour L' anthropologie.
27ª reimpr. da 1. ed. de 1988
Bibliografia.
ISBN 978-85-11-07030-9

    1. Antropologia I. Queiroz, Maria Isaura
Pereira de. II. Título.

08-06943   CDD–301

Índices para catálogo sistemático:
1. Antropologia: Introdução: Estudo e ensino 306.07

editora brasiliense ltda
Rua Antônio de Barros, 1720 - Tatuapé
CEP 03401-001 – São Paulo – SP
www.editorabrasiliense.com.br

Aos meus colegas brasileiros
Adalberto de Paula Barreto
e Antônio Mourão Cavalcante

SUMÁRIO

A Antropologia: uma chave para a compreensão do homem
– *Maria Isaura Pereira de Queiroz* 9
Introdução: o campo e a abordagem antropológicos 13
    O estudo do homem inteiro – O estudo do homem em sua
    diversidade
    – Dificuldades

Primeira Parte

MARCOS PARA UMA HISTÓRIA
DO PENSAMENTO ANTROPOLÓGICO

1. A pré-história da Antropologia: a descoberta das
   diferenças pelos viajantes do século XVI e a dupla
   resposta ideológica dada daquela época até nossos
   dias 37
       A figura do mau selvagem e do bom
       civilizado – A figura do bom selvagem
       e do mau civilizado
2. O século XVIII: a invenção do conceito de homem 54
3. O tempo dos pioneiros: os pesquisadores-eruditos do
   século XIX. 63
4. Os pais fundadores da Etnografia: Boas e Malinowski. 75
5. Os primeiros teóricos da Antropologia: Durkheim
   e Mauss 87

Segunda Parte

AS PRINCIPAIS TENDÊNCIAS DO PENSAMENTO ANTROPOLÓGICO CONTEMPORÂNEO

1. Introdução 95
   Campos de investigação – Determinações culturais: a Antropologia americana, a Antropologia britânica, a Antropologia francesa – Os cinco polos teóricos do pensamento antropológico contemporâneo
2. A Antropologia dos sistemas simbólicos 111
3. A Antropologia social 115
4. A Antropologia cultural........................... 119
5. A Antropologia estrutural e sistêmica................ 129
6. A Antropologia dinâmica 140

Terceira Parte

A ESPECIFICIDADE DA PRÁTICA ANTROPOLÓGICA

1. Uma ruptura metodológica: a prioridade dada à experiência pessoal do "campo" 149
2. Uma inversão temática: o estudo do infinitamente pequeno e do cotidiano 152
3. Uma exigência: o estudo da totalidade 156
4. Uma abordagem: a análise comparativa 160
5. As condições de produção social do discurso antropológico 166
6. O observador, parte integrante do objeto de estudo 169
7. Antropologia e Literatura 174
8. As tensões constitutivas da prática antropológica........ 182
   O dentro e o fora – A unidade e a pluralidade – O concreto e o abstrato

Bibliografia 201

A ANTROPOLOGIA:
uma chave para a compreensão do homem

Uma das maneiras mais proveitosas de se dar a conhecer uma área do conhecimento é traçar-lhe a história, mostrando como foi variando o seu colorido através dos tempos, como deitou ramificações novas que alteraram seu tema de base, ampliando-o. Para tanto é requerida uma erudição dificilmente encontrada entre os especialistas, pois erudição e especialização constituem-se em opostos: a erudição abrindo-se na ânsia de dominar a maior quantidade possível de saber, a especialização se fechando no pequeno espaço de um conhecimento minucioso.

O livro do antropólogo francês François Laplantine, *professor da Universidade de Lyon II, autor de várias obras importantes e que hoje efetua pesquisas no Brasil, reúne as duas perspectivas: vai balizando* o *conhecimento antropológico através da história e mostrando as diversas perspectivas atuais. Em primeiro lugar, efetua a análise de seu desenvolvimento, que permite uma compreensão melhor de suas características específicas; em seguida, apresenta as tendências contemporâneas e, finalmente, um panorama dos problemas colocados pela prática e por suas possibilidades de aplicação.*

Trata-se de uma introdução à Antropologia que parece fabricada de encomenda para estudantes brasileiros. A formação nacional em Ciências Sociais (e a Antropologia não foge à regra ...) segue a via da especialização, muito mais do que a da formação geral. Os estudantes leem e discutem determinados autores, ou então os componentes de uma escola bem delimitada; o conhecimento lhes é inculcado através do conhecimento de um problema ou de um ramo do saber na maioria de seus aspectos, nos debates que suscitou, nas respostas e soluções que inspirou. A história da disciplina, assim como da área de conhecimentos a que pertence, o exame crítico de todas as proposições temáticas que foi suscitando ao longo do tempo, permanecem muitas vezes fora das cogitações do curso, como se fosse algo de somenos importância.

No Brasil o presente tem muita força; nele se vive intensamente, é ele que se busca compreender profundamente, na convicção de que nele estão as raízes do futuro. País em construção, seus habitantes em geral, seus estudiosos em particular, têm consciência nítida de que estão criando algo, de que sua ação é de importância capital como fator por excelência do porvir. E, para chegar a ela, escolhe-se uma única via preferencial, a especialização numa direção, como se fora dela não existisse salvação.

No entanto, com essa maneira de ser tão marcante, perdem-se de vista componentes fundamentais desse mesmo porvir: o passado, por um lado, e, por outro, a multiplicidade de caminhos que têm sido traçados para construí-lo.

A necessidade real, no preparo dos estudiosos brasileiros em Ciências Sociais, é o reforço do conhecimento do passado de sua própria disciplina e da variedade de ramos que foi originando até a atualidade. Este livro, em muito boa hora traduzido, oferece a eles um primeiro panorama geral da Antropologia e seu lugar no âmbito do saber.

Construído dentro da tradição francesa do pensamento analítico e da clareza de expressão, esta introdução ao conhecimento da Antropologia atinge, na verdade, um público mais amplo do que simplesmente o dos estudantes e especialistas de Ciências Sociais. Sua difusão se fará sem dúvida entre todos aqueles atraídos para os problemas do homem enquanto tal, que buscam conhecer ao homem enquanto seu igual e ao mesmo tempo "outro".

Maria Isaura Pereira de Queiroz*

---

* Maria Isaura Pereira de Queiroz é professora do Departamento de Sociologia e pesquisadora do Centro de Estudos Rurais e Urbanos da FFL-CH-USP.

INTRODUÇÃO

O CAMPO E A ABORDAGEM ANTROPOLÓGICOS

O homem nunca parou de interrogar-se sobre si mesmo. Em todas as sociedades existiram homens que observavam homens. Houve até alguns que eram teóricos e forjaram, como diz Lévi-Strauss, modelos elaborados "em casa". A reflexão do homem sobre o homem e sua sociedade, e a elaboração de um saber são, portanto, tão antigos quanto a humanidade, e se deram tanto na Ásia como na África, na América, na Oceania ou na Europa. Mas o projeto de fundar uma ciência do homem — uma antropologia — é, ao contrário, muito recente. De fato, apenas no final do século XVIII é que começa a se constituir um saber *científico* (ou pretensamente científico) que toma o homem como objeto de conhecimento, e não mais a natureza; apenas nessa época é que o espírito científico pensa, pela primeira vez, em aplicar ao próprio homem os métodos até então utilizados na área física ou da biologia.

Isso constitui um evento considerável na história do *pensamento do homem sobre o homem*. Um evento do qual talvez ainda hoje não estejamos medindo todas as consequências. Esse pensamento tinha sido até então mitológico, artístico, teológico, filosófico, mas *nunca* científico no que dizia respeito ao homem em si. Trata-se, desta vez, de fazer passar este último do estauto de sujeito do conhecimento ao de objeto da ciência. Finalmente, a antropologia, ou mais precisamente, o projeto antropológico que se esboça nessa época muito tardia na história — não podia existir o conceito de homem enquanto regiões da humanidade permaneciam inexploradas — surge em uma região muito pequena do mundo: Europa. Isso trará, evidentemente, como veremos mais adiante, consequências importantes.

Para que esse projeto alcance suas primeiras realizações, para que o novo saber comece a adquirir um início de legitimidade entre outras disciplinas científicas, será preciso esperar a segunda metade do século XIX, durante o qual a antropologia se atribui objetos empíricos autônomos: as sociedades então ditas "primitivas", ou seja, exteriores às áreas de civilização europeias ou norte-americanas. A ciência, ao menos tal como é concebida na época, supõe uma dualidade radical entre o observador e seu objeto. Enquanto a separação (sem a qual não há experimentação possível) entre o sujeito observante e o objeto observado é obtida na física (como na biologia, botânica, ou zoologia) pela natureza suficientemente diversa dos dois termos presentes, na história, pela distância no tempo que separa o historiador da sociedade estudada, ela consistirá na antropologia, nessa época — e por muito tempo — em uma distância definitivamente geográfica. As sociedades estudadas pelos primeiros antropólogos são sociedades *longínquas* às quais são atribuídas as seguintes características: sociedades de dimensões restritas; que tiveram poucos contatos com os grupos vizinhos; cuja tecnologia é pouco desenvolvida em relação à nossa; e nas quais há uma menor especialização das atividades e funções sociais. São também qualificadas de "simples"; em consequência, elas irão permitir a compreensão, como numa situação de laboratório, da organização "complexa" de nossas próprias sociedades.

* * *

A antropologia acaba, portanto, de atribuir-se um objeto que lhe é próprio: o estudo das populações que não pertencem à civilização ocidental. Serão necessárias ainda algumas décadas para elaborar ferramentas de investigação que permitam a coleta direta no campo das observações e informações. Mas logo após ter firmado seus próprios métodos de pesquisa — no início do século XX — a antropologia percebe que o objeto empírico que havia escolhido (as sociedades "primitivas") está desaparecendo, pois o próprio universo dos "selvagens" não é de forma alguma poupado pela evolução social. Ela se vê, portanto, confrontada a uma crise de identidade. Muito rapidamente, uma questão se coloca, a qual, como veremos neste livro, permanece desde seu nascimento: o fim do "selvagem" ou, como diz Paul Mercier (1966), será que a "morte do primitivo" há de causar a morte daqueles que haviam se dado como tarefa o seu estudo? A essa pergunta vários tipos de resposta puderam e podem ainda ser dados. Detenhamo-nos em três deles.

1) O antropólogo aceita, por assim dizer, sua morte, e volta para o âmbito das outras ciências humanas. Ele resolve a questão da autonomia problemática de sua disciplina reencontrando, especialmente, a sociologia, e notadamente o que é chamado de "sociologia comparada".

2) Ele sai em busca de uma outra área de investigação: o camponês, este selvagem de dentro, objeto ideal de seu estudo, particularmente bem adequado, já que foi deixado de lado pelos outros ramos das ciências do homem.[1]

---

1. A pesquisa etnográfica, cujo objeto pertence à mesma sociedade que o observador, foi, de início, qualificada pelo nome de *folklore*. Foi Van Gennep que elaborou os métodos próprios desse campo de estudo, empenhando-se em explorar

3) Finalmente, e aqui temos um terceiro caminho, que inclusive não exclui o anterior (pelo menos enquanto campo de estudo), ele afirma a especificidade de sua prática, não mais através de um objeto empírico constituído (o selvagem, o camponês), mas através de uma abordagem epistemológica constituinte. Essa é a terceira via, que começaremos a esboçar nas páginas que se seguem, e que será desenvolvida no conjunto deste trabalho. O objeto teórico da Antropologia não está ligado, na perspectiva na qual começamos a nos situar a partir de agora, a um espaço geográfico, cultural ou histórico particular. Pois a Antropologia não é senão um certo olhar, um certo enfoque que consiste em:

a) o estudo do homem inteiro;

b) o estudo do homem em *todas* as sociedades, sob *todas* as latitudes em *todos* os seus estados e em *todas* as épocas.

O ESTUDO DO HOMEM INTEIRO

Só pode ser considerada como antropológica uma abordagem integrativa que objetive levar em consideração as múltiplas dimensões do ser humano em sociedade. Certamente, o acúmulo dos dados colhidos a partir de observações diretas, bem como o aperfeiçoamento das técnicas de investigação, conduzem necessariamente a uma especialização do saber. Porém, uma das vocações maiores de nossa abordagem consiste em não parcelar o homem mas, ao contrário, em tentar relacionar campos de investigação frequentemente separados. Ora, existem cinco áreas principais da antropologia, que nenhum pesquisador pode, evidentemente, dominar hoje em dia, mas às quais ele deve estar

---

exclusivamente (mas de uma forma magistral) as tradições populares *camponesas,* a distância social e cultural que separa o objeto do sujeito, substituindo nesse caso a distância geográfica da antropologia "exótica".

sensibilizado quando trabalha de forma profissional em algumas delas, dado que essas cinco áreas mantêm relações estreitas entre si.

A *atropologia biológica* (designada antigamente sob o nome de antropologia física) consiste no estudo das variações dos caracteres biológicos do homem no espaço e no tempo. Sua problemática é a das relações entre o patrimônio genético e o meio (geográfico, ecológico, social); ela analisa as particularidades morfológicas e fisiológicas ligadas a um meio ambiente, bem como a evolução dessas particularidades. O que deve, especialmente, a cultura a esse patrimônio, mas, também, o que esse patrimônio (que se transforma) deve à cultura? Assim, o antropólogo biologista levará em consideração os fatores *culturais* que influenciam o crescimento e a maturação do indivíduo. Ele se perguntará, por exemplo: por que o desenvolvimento psicomotor da criança africana é mais adiantado do que o da criança europeia?

Essa parte da antropologia, longe de consistir apenas no estudo das formas de crânios, mensurações do esqueleto, tamanho, peso, cor da pele, anatomia comparada das raças e dos sexos, interessa-se em especial — desde a década de 1950 — pela *genética das populações,* que permite discernir o que diz respeito ao inato e ao adquirido, dos quais um e outro estão interagindo continuamente. Ela tem, a meu ver, um papel particularmente importante a exercer para que não sejam rompidas as relações entre as pesquisas das ciências da vida e as das ciências humanas.

A antropologia pré-histórica é o estudo do homem por meio dos vestígios materiais enterrados no solo (ossadas, mas também quaisquer marcas da atividade humana). Seu projeto, que se liga à arqueologia, visa reconstituir as sociedades desaparecidas, tanto em suas técnicas e organizações sociais, quanto em suas produções culturais e artísticas. Notamos que esse ramo da antropologia trabalha com uma abordagem idêntica às da antropologia histórica e da antropologia social e cultural de que trataremos mais adiante. O historiador é antes de tudo um *historiógrafo,* isto é, um pesquisador que trabalha a partir do *acesso direto* aos textos. O especialista em pré-história recolhe, *pessoalmente,* objetos do solo. Ele realiza um trabalho de campo, como o realizado na antropologia social, na qual se beneficia de depoimentos vivos.[2]

A antropologia linguística. A linguagem é, com toda evidência, parte do patrimônio cultural de uma sociedade. É por meio dela que os indivíduos que compõem uma sociedade se expressam e expressam seus valores, suas preocupações, seus pensamentos. Apenas o estudo da língua permite compreender:

• como os homens pensam o que vivem e o que sentem, isto é, suas categorias psicoafetivas e psicocognitivas (etnolinguística);

• como eles expressam o universo e o social (estudo da literatura, não apenas escrita, mas também de tradição oral);

• como, finalmente, eles interpretam seus próprios saber e saber-fazer (área das chamadas etnociências).

A antropologia linguística, que é uma disciplina que se situa no encontro de várias outras,[3] não diz respeito apenas, e

---

2. Foi notadamente graças a pesquisadores como Paul Rivet e André Leroi--Gourhan (1964) que a articulação entre as áreas da antropologia física, biológica e sociocultural nunca foi rompida na França. Mas continua sempre ameaçada de ruptura devido a um movimento de especialização facilmente compreensível. Assim, colocando-se do ponto de vista da Antropologia Social, Edmund Leach (1980) fala da "desagradável obrigação de fazer *ménage à trois* com os representantes da Arqueologia Pré-Histórica e da Antropologia Física", comparando-a à coabitação dos psicólogos e dos especialistas da observação de ratos em laboratório.

3. Foi o antropólogo Edward Sapir (1967) quem, além de introduzir o estudo da linguagem entre os materiais antropológicos, começou também a mostrar que um estudo antropológico da língua (a língua como objeto de pesquisa inscrevendo-se na cultura) conduzia a um estudo linguístico da cultura (a língua como modelo de conhecimento da cultura).

de longe, ao estudo dos dialetos (dialetologia). Ela se interessa também pelas imensas áreas abertas pelas novas técnicas modernas de comunicação (*mass media* e cultura do audiovisual).

A *antropologia psicológica*. Aos três primeiros polos de pesquisa que foram mencionados, e que são habitualmente os únicos considerados como constitutivos (com a antropologia social e a cultural, das quais falaremos a seguir) do campo global da antropologia, fazemos questão pessoalmente de acrescentar um quinto polo: o da antropologia psicológica, que consiste no estudo dos processos e do funcionamento do psiquismo humano. De fato, o antropólogo é em primeira instância confrontado não a conjuntos sociais, e sim a indivíduos. Ou seja, somente através dos comportamentos particulares — conscientes e inconscientes — dos seres humanos podemos apreender essa totalidade sem a qual não se constitui a antropologia. É a razão pela qual a dimensão psicológica (e também psicopatológica) é absolutamente indissociável do campo do qual procuramos aqui dar conta. Ela é parte integrante dele.

A *antropologia social e cultural (ou etnologia)* nos deterá por muito mais tempo. Apenas nessa área temos alguma competência, e este livro tratará essencialmente dela. Assim sendo, toda vez que utilizarmos a partir de agora o termo antropologia mais genericamente, estaremos nos referindo à antropologia social e cultural (ou etnologia), mas procuraremos nunca esquecer que ela é apenas um dos aspectos da antropologia. Um dos aspectos cuja abrangência é considerável, já que diz respeito a *tudo* que constitui uma sociedade: seus modos de produção econômica, suas técnicas, sua organização política e jurídica, seus sistemas de parentesco, seus sistemas de conhecimento, suas crenças religiosas, sua língua, sua psicologia, suas criações artísticas.

Isso posto, esclareçamos desde já que a antropologia consiste menos no levantamento sistemático desses aspectos do que em mostrar a maneira particular com a qual estão relacionados

20   O CAMPO E A ABORDAGEM ANTROPOLÓGICOS

entre si e por meio da qual aparece a especificidade de uma sociedade. É precisamente esse ponto de vista da *totalidade,* e o fato de que o antropólogo procura compreender, como diz Lévi-Strauss, aquilo que os homens "não pensam habitualmente em fixar na pedra ou no papel" (nossos gestos, nossas trocas simbólicas, os menores detalhes dos nossos comportamentos), que faz dessa abordagem um tratamento fundamentalmente diferente dos utilizados setorialmente pelos geógrafos, economistas, juristas, sociólogos, psicólogos...

O ESTUDO DO HOMEM EM SUA DIVERSIDADE

A antropologia não é apenas o estudo de tudo que compõe uma sociedade. Ela é o estudo de todas as sociedades humanas (a nossa inclusive[4]), ou seja, das culturas da humanidade como um todo em suas diversidades históricas e geográficas.

Visando constituir os "arquivos" da humanidade em suas diferenças significativas, ela, inicialmente, privilegiou claramente as áreas de civilização exteriores à nossa. Mas a antropologia não poderia ser definida por um objeto empírico qualquer (e, em especial, pelo tipo de sociedade ao qual ela a princípio se dedicou preferencialmente ou mesmo exclusivamente). Se seu campo de observação consistisse no estudo das sociedades preservadas do contato com o Ocidente, ela se encontraria hoje, como já comentamos, sem objeto.

Ocorre, porém, que se a especificidade da contribuição dos antropólogos em relação aos outros pesquisadores em ciências humanas não pode ser confundida com a natureza das primeiras

---

4. Os antropólogos começaram a se dedicar ao estudo das sociedades industriais avançadas apenas muito recentemente. As primeiras pesquisas trataram primeiro, como vimos, dos aspectos "tradicionais" das sociedades "não tradicionais" (as comunidades camponesas europeias), em seguida, dos grupos marginais, e finalmente, há alguns anos apenas, na França, do setor urbano.

sociedades estudadas (as sociedades extraeuropeias), ela é a meu ver indissociavelmente ligada ao modo de conhecimento que foi elaborado *a partir* do estudo dessas sociedades: a observação *direta,* por impregnação lenta e contínua de grupos humanos *minúsculos* com os quais mantemos uma relação *pessoal.*

Além disso, apenas a *distância* em relação a nossa sociedade (mas uma distância que faz com que nos tornemos extremamente próximos daquilo que é longínquo) nos permite fazer esta descoberta: aquilo que tomávamos por natural em nós mesmos é, de fato, cultural; aquilo que era evidente é infinitamente problemático. Disso decorre a necessidade, na formação antropológica, daquilo que não hesitarei em chamar de "estranhamento" (*depaysement*), a perplexidade provocada pelo encontro das culturas que são para nós as mais distantes, e cujo encontro vai levar a uma modificação do *olhar* que se tinha sobre si mesmo. De fato, presos a uma única cultura, somos não apenas cegos à cultura dos outros, mas míopes quando se trata da nossa. A experiência da alteridade (e a elaboração dessa experiência) leva-nos a *ver* aquilo que nem teríamos conseguido imaginar, dada a nossa dificuldade em fixar nossa atenção no que nos é habitual, familiar, cotidiano, e que consideramos "evidente". Aos poucos, notamos que o menor dos nossos comportamentos (gestos, mímicas, posturas, reações afetivas) não tem realmente nada de "natural". Começamos, então, a nos surpreender com aquilo que diz respeito a nós mesmos, a nos espiar. O conhecimento (antropológico) da nossa cultura passa inevitavelmente pelo conhecimento das outras culturas; e devemos especialmente reconhecer que somos uma cultura possível entre tantas outras, mas não a única.

Aquilo que, de fato, caracteriza a *unidade* do homem, de que a antropologia, como já o dissemos e voltaremos a dizer, faz tanta questão, é sua aptidão praticamente infinita para inventar modos de vida e formas de organização social extremamente diversos. E, a meu ver, apenas a nossa disciplina permite notar, com a maior proximidade possível, que essas formas de comportamento e de vida em sociedade que tomávamos *todos* espontaneamente por inatas (nossas maneiras de andar, dormir, nos encontrar, nos emocionar, comemorar os eventos de nossa existência...) são, na realidade, o produto de escolhas culturais. Ou seja, aquilo que os seres humanos têm *em comum* é sua capacidade para se *diferenciar* uns dos outros, para elaborar costumes, línguas, modos de conhecimento, instituições, jogos profundamente diversos, pois se há algo *natural* nessa espécie particular que é a espécie humana, é sua aptidão à variação *cultural*.

O projeto antropológico consiste, portanto, no reconhecimento e no conhecimento, juntamente com a compreensão de uma humanidade plural. Isso supõe ao mesmo tempo a ruptura com a figura da monotonia do duplo, do igual, do idêntico, e com a exclusão num irredutível "alhures". As sociedades mais diferentes da nossa, que consideramos espontaneamente indiferenciadas, são na realidade tão diferentes entre si quanto o são da nossa. E, mais ainda, elas são para cada uma delas muito raramente homogêneas (como seria de se esperar) mas, pelo contrário, extremamente diversificadas, participando ao mesmo tempo de uma comum humanidade.

A abordagem antropológica provoca, assim, uma verdadeira revolução epistemológica, que começa por uma revolução do *olhar*. Ela implica um descentramento radical, uma ruptura com a ideia de que existe um "centro do mundo", e, correlativamente, uma ampliação do saber[5] e uma mutação de si mesmo.

---

5. Veremos que a antropologia supõe não apenas esse desmembramento (*éclatement*) do saber, que se expressa no relativismo (de um Jean de Léry) ou no ceticismo (de um Montaigne), ligados ao questionamento da cultura à qual se pertence, mas também uma *nova pesquisa* e uma *reconstituição* desse saber. Mas nesse ponto coloca-se uma questão: será que a antropologia é o discurso do Ocidente (e somente dele) sobre a alteridade?

APRENDER ANTROPOLOGIA

Como escreve Roger Bastide em sua *Anatomia de André Gide*: "Eu sou mil possíveis em mim; mas não posso me resignar a querer apenas um deles".

A descoberta da alteridade é a de uma relação que nos permite deixar de identificar nossa pequena província de humanidade com a humanidade, e correlativamente deixar de rejeitar o presumido "selvagem" fora de nós mesmos. Confrontados à multiplicidade, *a priori* enigmática, das culturas, somos aos poucos levados a romper com a abordagem comum que opera sempre a naturalização do social (como se nossos comportamentos estivessem inscritos em nós desde o nascimento, e não fossem adquiridos no contato com a cultura na qual nascemos). Somos levados a romper igualmente com o humanismo clássico que também consiste na identificação do sujeito com ele mesmo, e da cultura com a nossa cultura. De fato, a filosofia clássica (antológica com São Tomás, reflexiva com Descartes, criticista com Kant, histórica com Hegel), mesmo sendo filosofia social,

---

Evidentemente, o europeu não foi o único a interessar-se pelos hábitos e pelas instituições do não-europeu. A recíproca também é verdadeira, como atestam notadamente os relatos de viagens realizadas na Europa desde a Idade Média, por viajantes vindos da Ásia. E os índios Flathead de quem nos fala Lévi-Strauss eram tão curiosos do que ouviam dizer dos brancos que tomaram um dia a iniciativa de organizar expedições a fim de encontrá-los. Poderíamos multiplicar os exemplos. Isso não impede que a constituição de um saber de vocação científica sobre a alteridade sempre tenha se desenvolvido a partir da cultura europeia. Esta elaborou um orientalismo, um americanismo, um africanismo, um oceanismo, enquanto nunca ouvimos falar de um "europeísmo", que teria se constituído como campo de saber teórico a partir da Ásia, da África ou da Oceania.

Isso posto, as condições de produção históricas, geográficas, sociais e culturais da antropologia constituem um aspecto que seria rigorosamente antiantropológico perder de vista, mas que não devem ocultar a vocação (evidentemente problemática) de nossa disciplina, que visa superar a irredutibilidade das culturas. Como escreve Lévi-Strauss: "Não se trata apenas de elevar-se acima dos valores próprios da sociedade ou do grupo do observador, e sim de seus *métodos de pensamento;* é preciso alcançar uma formulação válida, não apenas para um observador honesto e objetivo, mas para todos os observadores possíveis".

bem como as grandes religiões, nunca se deram como objetivo o de pensar a diferença (e muito menos, de pensá-la cientificamente), e sim o de reduzi-la, frequentemente de uma forma igualitária e com as melhores intenções do mundo.

O pensamento antropológico, por sua vez, considera que, assim como uma civilização adulta deve aceitar que seus membros se tornem adultos, ela deve igualmente aceitar a diversidade das culturas, também adultas. Estamos, evidentemente, no direito de nos perguntar como a humanidade pôde permanecer por tanto tempo cega para consigo mesma, amputando parte de si própria e fazendo de tudo que não eram suas ideologias dominantes sucessivas um objeto de exclusão. Desconfiemos porém do pensamento — que seria o cúmulo em se tratando de antropologia — de que estamos finalmente mais "lúcidos", mais "conscientes", mais "livres", mais "adultos", como acabamos de escrever, do que em uma época da qual seria errôneo pensar que está definitivamente encerrada. Pois essa transgressão de *uma* das tendências dominantes de nossa sociedade — o expansionismo ocidental sob todas as suas formas econômicas, políticas, intelectuais — deve ser sempre retomada. O que não significa de forma alguma que o antropólogo esteja destinado, ou seja levado por alguma crise de identidade, a adotar *ipso facto* a lógica das outras sociedades e a censurar a sua. Procuraremos, pelo contrário, mostrar neste livro que a dúvida e a crítica de si mesmo só são cientificamente fundamentadas se forem acompanhadas da interpelação crítica de outrem.

DIFICULDADES

Se os antropólogos estão hoje convencidos de que uma das características maiores de sua prática reside no confronto pessoal com a alteridade, isto é, convencidos do fato de que os fenômenos sociais que estudamos são fenômenos que observamos em seres humanos com os quais estivemos vivendo; se eles são também unânimes em pensar que há unidade da família humana, a família dos antropólogos é, por sua vez, muito dividida quando se trata de dar conta (aos interessados, aos seus colegas, aos estudantes, a si mesma, e de forma geral a todos aqueles que têm o direito de saber o que verdadeiramente fazem os antropólogos) dessa unidade múltipla, desses materiais e dessa experiência.

1) A primeira dificuldade se manifesta, como sempre, no nível das palavras. Mas ela é, também aqui, particularmente reveladora da juventude de nossa disciplina,[6] que não sendo, como a física, uma ciência constituída, continua não tendo ainda optado definitivamente pela sua própria designação: *Etnologia ou antropologia?* No primeiro caso (que corresponde à tradição terminológica dos franceses), insiste-se sobre a pluralidade irredutível das etnias, isto é, das culturas. No segundo (que é mais usado nos países anglo-saxônicos), sobre a unidade do gênero humano. E optando-se por antropologia, deve-se falar (com os autores britânicos) em *antropologia social* — cujo objeto privilegiado é o estudo das instituições — ou (com os autores americanos) de *antropologia cultural* — que consiste mais no estudo dos comportamentos.[7]

---

6. Lembremos que a antropologia só começou a ser ensinada nas universidades há algumas décadas. Na Grã-Bretanha a partir de 1908 (Frazer em Liverpool), e na França a partir de 1943 (Griaule na Sorbonne, seguido por Leroi-Gourhan).

7. Para que o leitor que não tenha nenhuma familiaridade com esses conceitos possa localizar-se, vale a pena especificar bem o significado dessas palavras. Estabeleçamos, como Lévi-Strauss, que a etnografia, a etnologia e a antropologia constituem os três momentos de uma mesma abordagem. A *etnografia* é a coleta direta, e a mais minuciosa possível, dos fenômenos que observamos, por uma impregnação duradoura e contínua e um processo que se realiza por aproximações sucessivas. Esses fenômenos podem ser recolhidos tomando-se notas, mas também por gravação sonora, fotográfica ou cinematográfica. A *etnologia* consiste em um primeiro nível de abstração: analisando os materiais colhidos, fazer aparecer a lógica específica da sociedade que se estuda. A *antropologia,* finalmente, consiste em um segundo nível de inteligibilidade: construir modelos que permitam comparar as sociedades entre si. Como escreve Lévi-Strauss, "seu objetivo é alcançar, além da imagem consciente e sempre diferente que

2) A segunda dificuldade diz respeito ao grau de cientificidade que convém atribuir à antropologia. O homem está em condições de estudar cientificamente o homem, isto é, um objeto que é de mesma natureza que o sujeito? Nesse caso, nossa prática se encontra novamente dividida entre os que pensam, com Radcliffe-Brown (1968), que as sociedades são sistemas *naturais* que devem ser estudados segundo os métodos comprovados pelas ciências da natureza,[8] e os que pensam, com Evans-Pritchard (1969), que é preciso tratar as sociedades não como sistemas orgânicos, mas como sistemas simbólicos. Para estes últimos, longe de ser uma "ciência natural da sociedade" (Radcliffe-Brown), a antropologia deve antes ser considerada como uma "arte" (Evans-Pritchard).

3) Uma terceira dificuldade provém da relação ambígua que a antropologia mantém desde sua gênese com a História. Estreitamente vinculadas nos séculos XVIII e XIX, as duas práticas vão rapidamente se emancipar uma da outra no século XX, procurando ao mesmo tempo se reencontrar periodicamente. As rupturas manifestas se devem essencialmente a antropólogos. Evans-Pritchard: "O conhecimento da história das sociedades não é de nenhuma utilidade quando se procura compreender o funcionamento das instituições". Mais categórico ainda, Leach escreve: "A geração de antropólogos à qual pertenço tira seu orgulho de sempre ter-se recusado a tomar a História em consideração". Convém também lembrar aqui a distinção agora fa-

---

os homens formam de seu devir, um inventário das possibilidades inconscientes, que não existem em número ilimitado".

8. Ao modelo orgânico dos funcionalistas ingleses, Lévi-Strauss substituiu, como veremos, um modelo linguístico, e mostrou que trabalhando no ponto de encontro da natureza (o inato) e da cultura (tudo o que não é hereditariamente programado e deve ser inventado pelos homens onde a natureza não programou nada), a Antropologia deve aspirar a tornar-se uma ciência natural: "A antropologia pertence às ciências humanas, seu nome o proclama suficientemente; mas se se resigna em fazer seu purgatório entre as ciências sociais, é porque não desespera de despertar entre as ciências naturais na hora do julgamento final" (Lévi-strauss, 1973).

mosa de Lévi-Strauss opondo as "sociedades frias", isto é, "próximas do grau zero de temperatura histórica", que são menos "sociedades sem história" do que "sociedades que não querem ter estórias" (únicos objetos da a antropologia clássica) a nossas próprias sociedades qualificadas de "sociedades quentes".

Essa preocupação em separar as abordagens histórica e antropológica está longe, como veremos, de ser unânime, e a história recente da antropologia testemunha também um desejo de co-habitação entre as duas disciplinas. Aqui, no Nordeste do Brasil, onde começo a escrever este livro, desde 1933 um autor como Gilberto Freyre, empenhando-se em compreender a formação da sociedade brasileira, mostrou o proveito que a antropologia podia tirar do conhecimento histórico.

4) Uma quarta dificuldade provém do fato de que nossa prática oscila sem parar, e isso desde seu nascimento, entre a pesquisa que se pode qualificar de fundamental e aquilo que é designado sob o termo de "antropologia aplicada".

Começaremos examinando o segundo termo da alternativa aqui colocada e que continua dividindo profundamente os pesquisadores. Durkheim considerava que a sociologia não valeria sequer uma hora de dedicação se ela não pudesse ser útil, e muitos antropólogos compartilham sua opinião. Margaret Mead, por exemplo, estudando o comportamento dos adolescentes das ilhas Samoa (1969), pensava que seus estudos deveriam permitir a instauração de uma sociedade melhor, e, mais especificamente, a aplicação de uma pedagogia menos frustrante à sociedade americana. Hoje vários colegas nossos consideram que a antropologia deve colocar-se "a serviço da revolução" (segundo especialmente Jean Copans, 1975). O pesquisador torna-se, então, um militante, um "antropólogo revolucionário", contribuindo na construção de uma "antropologia da libertação". Numerosos pesquisadores ainda reivindicam a qualidade de especialistas, de conselheiros, participando em especial dos programas de desen-

28 O CAMPO E A ABORDAGEM ANTROPOLÓGICOS

volvimento e das decisões políticas relacionadas à elaboração desses programas. Queríamos simplesmente observar aqui que a "antropologia aplicada"[9] não é uma grande novidade. É por ela que, com a colonização, a antropologia teve início.[10]

Foi com ela, inclusive, que se deu o início da Antropologia, durante a colonização. No extremo oposto das atitudes "engajadas" das quais acabamos de falar, encontramos a posição determinada de um Claude Lévi-Strauss que, após ter lembrado que o saber científico sobre o homem ainda se encontrava num estágio extremamente primitivo em relação ao saber sobre a natureza, escreve:

> Supondo que nossas ciências um dia possam ser colocadas a serviço da ação prática, elas não têm, no momento, nada ou quase nada a oferecer. O verdadeiro meio de permitir sua existência é dar muito a elas, mas sobretudo não lhes pedir nada.

As duas atitudes que acabamos de citar — a antropologia "pura" ou a antropologia "diluída", como diz ainda Lévi-Strauss — encontram na realidade suas primeiras formulações desde os primórdios da confrontação do europeu com o "selvagem". Desde o século XVI, de fato, começa a se implantar aquilo o que alguns chamariam de "arquétipos" do discurso etnológico, que podem ser ilustrados pelas posições respectivas de um Jean de Lery e de um Sahagun. Jean de Lery foi um huguenote* francês que permaneceu algum tempo no Brasil entre os Tupinambás. Longe de procurar convencer seus hóspedes da superioridade da cultura europeia e da religião reformada, ele os interroga e, sobretudo,

---

9. Sobre a antropologia aplicada, cf. R. Bastide, 1971.

10. A maioria dos antropólogos ingleses, especialmente, realizou suas pesquisas a pedido das administrações: *Os Nuers* de Evans-Pritchard foram encomendados pelo governo britânico, Fortes estudou os Tallensi a pedido do governo da Costa do Ouro. Nadel foi conselheiro do governo do Sudão etc.

* Protestante. (N.T.)

se interroga. Sahagun foi um franciscano espanhol que alguns anos mais tarde realizou uma verdadeira investigação no México. Perfeitamente à vontade entre os astecas, ele estava lá como missionário a fim de converter a população que estudava.[11]

A questão da diversidade das ideologias sucessivamente defendidas (a conversão religiosa, a "revolução", a ajuda ao "Terceiro Mundo", as estratégias daquilo que é hoje chamado "desenvolvimento" ou ainda "mudança social") não altera nada quanto ao âmago do problema, que é o seguinte: o antropólogo deve contribuir, enquanto antropólogo, para a transformação das sociedades que ele estuda?

Eu responderia, no que me diz respeito, da seguinte forma: nossa abordagem, que consiste antes em *nos surpreender com aquilo que nos é mais familiar* (aquilo que vivemos cotidianamente na sociedade na qual nascemos) e em tornar mais familiar aquilo que nos é estranho (os comportamentos, as crenças, os costumes das sociedades que não são as nossas, mas nas quais poderíamos ter nascido), está diretamente confrontada hoje a um movimento de homogeneização, ao meu ver, sem precedente na História — o desenvolvimento de uma forma de cultura industrial-urbana e de uma forma de pensamento que é a do racionalismo social. Eu pude, no decorrer de minhas estadias sucessivas entre os Berberes do Médio Atlas e entre os Baulés da Costa do Marfim, perceber realmente o fascínio que exerce esse modelo, perturbando completamente os modos de vida (a maneira de se alimentar, de se vestir, de se distrair, de se encontrar, de pensar[12] e levando a novos comportamentos que não decorrem de uma escolha).

---

11. Essa dupla abordagem da relação com o outro pode muito bem ser realizada por um único pesquisador. Assim, Malinowski, chegando às ilhas Trobriand (trad. franc., 1963), se deixa literalmente levar pela cultura que descobre e que o encanta. Mas vários anos depois (trad. franc., 1968) participa do que chama "uma experiência controlada" do desenvolvimento.

12. As mutações de comportamentos geradas por essa forma de civilização mundialista podem também evidentemente ser encontradas nas nossas próprias cul-

A questão que está hoje colocada para qualquer antropólogo é a seguinte: há uma possibilidade em minha sociedade (qualquer que seja) permitindo o acesso a um estágio de sociedade industrial (ou pós-industrial) sem conflito dramático, sem risco de despersonalização?

Minha convicção é de que o antropólogo, para ajudar os atores sociais a responder a essa questão, não deve, pelo menos enquanto antropólogo, trabalhar para a transformação das sociedades que estuda. Caso contrário, seria conveniente, de fato, que se convertesse em economista, agrônomo, médico ou político, a não ser que ele seja motivado por alguma concepção messiânica da antropologia. Auxiliar uma determinada cultura na explicitação para ela mesma de sua própria diferença é uma coisa; organizar política, econômica e socialmente a evolução dessa diferença é uma outra coisa. Ou seja, a participação do antropólogo naquilo que é hoje a vanguarda do anticolonialismo e da luta pelos direitos humanos e das minorias étnicas é, a meu ver, uma consequência de nossa profissão, mas não é a nossa profissão propriamente dita.

Somos, por outro lado, diretamente confrontados a uma dupla urgência à qual temos o dever de responder.

a) *Urgência de preservação dos patrimônios culturais locais ameaçados* (e a respeito disso a etnologia está desde o seu nascimento lutando contra o tempo para que a transcrição dos arquivos orais e visuais possa ser realizada a tempo, enquanto os últimos depositários das tradições ainda estão vivos) e, sobretudo, de *restituição* aos habitantes das diversas regiões nas quais trabalhamos, de seu próprio saber e saber-fazer. Isso supõe uma ruptura com a concepção assimétrica da pesquisa, baseada na captação de informações.

---

turas rurais e urbanas. Em compensação, parecem-me bastante fracas aqui, no Nordeste do Brasil, onde começo a redigir este livro.

Não há, de fato, antropologia sem troca, isto é, sem itinerário no decorrer do qual as partes envolvidas chegam a se convencer reciprocamente da necessidade de não se deixar perder formas de pensamento e atividade únicas.

b) *Urgência de análise das mutações culturais* impostas pelo desenvolvimento extremamente rápido de *todas* as sociedades contemporâneas, que não são mais "sociedades tradicionais", e sim sociedades que estão passando por um desenvolvimento tecnológico absolutamente inédito, por mutações de suas relações sociais, por movimentos de migração interna, e por um processo de urbanização acelerado. Através da especificidade de sua abordagem, nossa disciplina deve, não fornecer respostas no lugar dos interessados, e sim formular questões com eles, elaborar com eles uma reflexão racional (e não mais mágica) sobre os problemas colocados pela crise mundial — que é também uma crise de identidade — ou ainda sobre o pluralismo cultural, isto é, o encontro de línguas, técnicas, mentalidades. Em suma, a pesquisa antropológica, que não é de forma alguma, como podemos notar, uma atividade de luxo, sem nunca se substituir aos projetos e às decisões dos próprios atores sociais, tem hoje como vocação maior a de propor, não soluções, mas instrumentos de investigação que poderão ser utilizados em especial para reagir ao choque da aculturação, isto é, ao risco de um desenvolvimento conflituoso levando à violência negadora das particularidades econômicas, sociais e culturais de um povo.

5) Uma quinta dificuldade diz respeito, finalmente, à natureza desta obra que deve apresentar, em um número de páginas reduzido, um campo de pesquisa imenso, cujo desenvolvimento recente é extremamente especializado. No final do século XIX, um único pesquisador podia, no limite, dominar o campo global da antropologia (Boas fez pesquisas em antropologia social, cultural, linguística, pré-histórica, e também mais recentemente o caso de Ktoeber, provavelmente o último antropólogo que

explorou — com sucesso — uma área tão extensa). Não é, evidentemente, o caso hoje em dia. O antropólogo considera agora — com razão — que é competente apenas dentro de uma área restrita[13] de sua própria disciplina e para uma área geográfica delimitada.

Era-me portanto impossível, dentro de um texto de dimensões tão restritas, dar conta, mesmo de uma forma parcial, do alcance e da riqueza dos campos abertos pela antropologia. Muito mais modestamente, tentei colocar um certo número de referências, definir alguns conceitos a partir dos quais o leitor poderá, espero, interessar-se em ir mais adiante.

Ver-se-á que este livro caminha em espiral. As preocupações que estão no centro de qualquer abordagem antropológica e que acabam de ser mencionadas serão retomadas, mas de diversos pontos de vista. Eu lembrarei em primeiro lugar quais foram as principais etapas da constituição de nossa disciplina e como, através dessa história da antropologia, foram se colocando progressivamente as questões que continuam nos interessando até hoje. Em seguida, esboçarei os polos teóricos — a meu ver cinco — em volta dos quais oscilam o pensamento e a prática antropológica. Teria sido, de fato, surpreendente, se, procurando dar conta da pluralidade, a antropologia permanecesse monolítica. Ela é, ao contrário, claramente plural. Veremos no decorrer deste livro que existem perspectivas complementares, mas também mutuamente exclusivas, entre as quais é preciso escolher. E, em vez de fingir ter adotado o ponto de vista de Sirius, em vez de pretender uma neutralidade, que nas ciências humanas é um engodo, esforçando-me ao mesmo tempo para apresentar com o máximo de objetividade o pensamento dos outros, não dissimularei as minhas próprias opções. Finalmente,

---

13. A antropologia das técnicas, a antropologia econômica, política, a antropologia do parentesco, das organizações sociais, a antropologia religiosa, artística, a antropologia dos sistemas de comunicações...

em uma última parte, os principais eixos anteriormente examinados serão, em um movimento por assim dizer retroativo, reavaliados com o objetivo de definir aquilo que constitui, a meu ver, a especificidade da antropologia.

Queria finalmente acrescentar que este livro dirige-se ao mais amplo público possível. Não àqueles que têm por profissão a antropologia — duvido que encontrem nele um grande interesse — mas a todos que, em algum momento de sua vida (profissional, mas também pessoal), possam ser levados a utilizar o modo de conhecimento tão característico da antropologia. Esta é a razão pela qual, entre o inconveniente de utilizar uma linguagem técnica e o de adotar uma linguagem menos especializada, optei voluntariamente pela segunda. Pois a antropologia, que é a ciência do homem por excelência, pertence a todo o mundo. Ela diz respeito a todos nós.

PRIMEIRA PARTE
MARCOS PARA UMA HISTÓRIA DO PENSAMENTO ANTROPOLÓGICO

1. A PRÉ-HISTÓRIA DA ANTROPOLOGIA:
a descoberta das diferenças pelos viajantes do século XVI e a dupla resposta ideológica dada daquela época até nossos dias

A gênese da reflexão antropológica é contemporânea à descoberta do Novo Mundo. O Renascimento explora espaços até então desconhecidos e começa a elaborar discursos sobre os habitantes que povoam aqueles espaços.[1] A grande questão que é então colocada, e que nasce desse primeiro confronto visual com a alteridade, é a seguinte: aqueles que acabaram de ser descobertos pertencem à humanidade? O critério essencial para saber se convém atribuir-lhes um estatuto humano é, nessa época, religioso: o selvagem tem uma alma? O pecado original também

---

1. As primeiras observações e os primeiros discursos sobre os povos "distantes" de que dispomos provêm de duas fontes: 1) as reações dos primeiros viajantes, formando o que habitualmente chamamos de "literatura de viagem". Dizem respeito em primeiro lugar à Pérsia e à Turquia, em seguida à América, à Ásia e à África. Em 1556, André Thevet escreve *As singularidades da França Antártica e,* em 1558 Jean de Lery, escreve *A história de uma viagem feita na terra do Brasil.* Consultar também como exemplo, para um período anterior (século XIII), G. de Rubrouck (reed. 1985), para um período posterior (século XVII) Y. d'Evreux (reed. 1985), bem como a coletânea de textos de J. P. Duviols (1978); 2) os relatórios dos missionários e particularmente as "Relações" dos jesuítas (século XVII) no Canadá, no Japão, na China; por exemplo, as *Lettres edifiantes et curieuses de la Chine par des missionnaires jésuites: 1702-1776,* Paris, reed. Garnier-Flammarion, 1979.

lhes diz respeito? Essas questões são capitais para os missionários, já que das respostas irá depender o fato de saber se é possível trazer-lhes a revelação. Notamos que se, no século XIV, a questão é colocada, não é de forma alguma solucionada. Ela será definitivamente resolvida apenas dois séculos mais tarde.

Nessa época é que começam a se esboçar as duas ideologias concorrentes, das quais uma consiste no simétrico invertido da outra: *a recusa do estranho* apreendido a partir de uma falta, e cujo corolário é a boa consciência que se tem sobre si e sua sociedade;[2] *e a fascinação pelo estranho*, cujo corolário é a má consciência que se tem sobre si e sua sociedade.

Ora, os próprios termos dessa dupla posição estão colocados desde a metade do século XIV no debate, que se torna uma controvérsia pública, e que durará vários meses (em 1550, na Espanha, em Valladolid), opondo o dominicano Las Casas e o jurista Sepulveda.

Las Casas:

> Àqueles que pretendem que os índios são bárbaros, responderemos que essas pessoas têm aldeias, vilas, cidades, reis, senhores e uma ordem política que, em alguns reinos, é melhor que a nossa. (...) Esses povos igualavam ou até superavam muitas nações e uma ordem política que, em alguns reinos, é melhor que a nossa. (...) Esses povos igualavam ou até superavam muitas nações do mundo conhecidas como policiadas e razoáveis, e não eram inferiores a nenhuma delas. Assim, igualavam-se aos gregos e os romanos, e até, em alguns de seus costumes, os superavam. Eles superavam também a Inglaterra, a França, e algumas de nossas regiões da Espanha. (...) Pois a maioria dessas nações do mundo, senão todas,

---

2. Sendo as duas variantes dessa figura: 1) a condescendência e a proteção paternalista do outro; 2) sua exclusão.

foram muito mais pervertidas, irracionais e depravadas, e deram mostra de muito menos prudência e sagacidade em sua forma de se governarem e exercerem as virtudes morais. Nós mesmos fomos piores, no tempo de nossos ancestrais e sobre toda a extensão de nossa Espanha, pela barbárie de nosso modo de vida e pela depravação de nossos costumes.

Sepulveda:

Aqueles que superam os outros em prudência e razão, mesmo que não sejam superiores em força física, aqueles são, por natureza, os senhores; ao contrário, porém, os preguiçosos, os espíritos lentos, mesmo que tenham as forças físicas para cumprir todas as tarefas necessárias, são por natureza servos. E é justo e útil que sejam servos, e vemos isso sancionado pela própria lei divina. Tais são as nações bárbaras e desumanas, estranhas à vida civil e aos costumes pacíficos. E será sempre justo e conforme o direito natural que essas pessoas estejam submetidas ao império de príncipes e de nações mais cultas e humanas, de modo que, graças à virtude destas e à prudência de suas leis, eles abandonem a barbárie e se conformem a uma vida mais humana e ao culto da virtude. E se eles recusarem esse império, pode-se impô-lo pelo meio das armas e essa guerra será justa, bem como o declara o direito natural que os homens honrados, inteligentes, virtuosos e humanos dominem aqueles que não têm essas virtudes.

Ora, as ideologias que estão por trás desse duplo discurso, mesmo que não se expressem mais em termos religiosos, permanecem vivas hoje, quatro séculos após a polêmica que opunha Las Casas a Sepulveda.[3] Como são estereótipos que envenenam

---

3. Essa oscilação entre dois polos concorrentes, mas ligados entre si por um movimento de pêndulo ininterrupto, pode ser encontrada não apenas em uma mesma época, mas em um mesmo autor. Cf., por exemplo, Léry (1972) ou Buffon (1984).

essa *antropologia espontânea* de que temos ainda hoje tanta dificuldade para nos livrar, convém nos deter sobre eles.

A FIGURA DO MAU SELVAGEM E DO BOM CIVILIZADO

A extrema diversidade das sociedades humanas raramente apareceu aos homens como um fato, e sim como uma aberração exigindo uma justificação. A antiguidade grega designava sob o nome de *bárbaro* tudo o que não participava da helenidade (em referência à inarticulação do canto dos pássaros oposto à significação da linguagem humana), o Renascimento e os séculos XVII e XVIII falavam de *naturais* ou de *selvagens* (isto é, seres da floresta), opondo assim a animalidade à humanidade. O termo *primitivos* é que triunfará no século XIX, enquanto optamos preferencialmente na época atual pelo de subdesenvolvidos.

Essa atitude, que consiste em expulsar da cultura, isto é, para a natureza, todos aqueles que não participam da faixa de humanidade à qual pertencemos e com a qual nos identificamos, é, como lembra Lévi-Strauss, a mais comum a toda a humanidade, e, em especial, a mais característica dos "selvagens".[4]

Entre os critérios utilizados a partir do século XIV pelos europeus para julgar se convém conferir aos índios um estatuto humano, além do critério religioso do qual já falamos, e que

---

4. "Assim", escreve Lévi-Strauss (1961), "ocorrem curiosas situações onde dois interlocutores dão-se cruelmente a réplica. Nas Grandes Antilhas, alguns anos após a descoberta da América, enquanto os espanhóis enviavam comissões de inquérito para pesquisar se os indígenas possuíam ou não uma alma, estes empenhavam-se em imergir brancos prisioneiros a fim de verificar, por uma observação demorada, se seus cadáveres eram ou não sujeitos à putrefação".

APRENDER ANTROPOLOGIA 41

pede, na configuração na qual nos situamos, uma resposta negativa ("sem religião nenhuma", são "mais diabos"), citaremos:

• a aparência física: eles estão nus ou "vestidos de peles de animais";

• os comportamentos alimentares: eles "comem carne crua", e é todo o imaginário do canibalismo que irá aqui se elaborar;[5]

• a inteligência tal como pode ser apreendida a partir da linguagem: eles falam "uma língua ininteligível".

Assim, não acreditando em Deus, não tendo alma, não tendo acesso à linguagem, sendo assustadoramente feio e alimentando-se como um animal, o selvagem é apreendido nos modos de um bestiário. E esse discurso sobre a alteridade, que recorre constantemente à metáfora zoológica, abre o grande leque das ausências: sem moral, sem religião, sem lei, sem escrita, sem Estado, sem consciência, sem razão, sem objetivo, sem arte, sem passado, sem futuro.[6] Cornelius de Pauw acrescentará até, no século XVIII: "sem barba", "sem sobrancelhas", "sem pelos", "sem espírito", "sem ardor para com sua fêmea".

> É a grande glória e a honra de nossos reis e dos espanhóis, escreve Gomara em sua *História geral dos índios,* ter feito aceitar aos índios um único Deus, uma única fé e um único batismo e ter tirado deles a idolatria, os sacrifícios humanos, o canibalismo, a sodomia; e ainda outros grandes e maus pecados, que nosso bom Deus detesta e que pune. Da mesma forma, tiramos deles a poli-

---

5. Cf. especialmente Hans Staden, *Véritable histoire et description d'un pays habité par des hommes sauvages, nus, féroces et anthropophages,* 1557, reed. Paris, A. M. Métailié, 1979.

6. Essa falta pode ser apreendida por meio de duas variantes: 1) não têm, irremediavelmente, futuro e não temos realmente nada a esperar deles (Hegel); 2) é possível fazê-los evoluir. Pela ação missionária (a partir do século XVI), assim como pela ação administrativa (a partir do século XIX).

gamia, velho costume e prazer de todos esses homens sensuais; mostramo-lhes o alfabeto sem o qual os homens são como animais e o uso do ferro que é tão necessário ao homem. Também lhes mostramos vários bons hábitos, artes, costumes policiados para poder melhor viver. Tudo isso — e até cada uma dessas coisas — vale mais que as penas, as pérolas, o ouro que tomamos deles, ainda mais porque não utilizavam esses metais como moeda.

Na mesma época (1555), Oviedo escreve em sua História da Índias:

> As pessoas desse país, por sua natureza, são tão ociosas, viciosas, de pouco trabalho, melancólicas, covardes, sujas, de má condição, mentirosas, de mole constância e firmeza (...). Nosso Senhor permitiu, para os grandes, abomináveis pecados dessas pessoas selvagens, rústicas e bestiais, que fossem atirados e banidos da superfície da Terra.

Opiniões desse tipo são inumeráveis, e passaram tranquilamente para nossa época. No século XIX, Stanley, em seu livro dedicado à pesquisa de Livingstone, compara os africanos aos "macacos de um jardim zoológico", e convidamos o leitor a ler ou reler Franz Fanon (1968), que nos lembra o que foi o discurso colonial dos franceses na Argélia.

Mais dois textos irão deter mais demoradamente nossa atenção, por nos parecerem muito reveladores desse pensamento que faz do selvagem o inverso do civilizado. São as *Pesquisas sobre os americanos ou relatos interessantes para servir à história da espécie humana,* de Cornelius de Pauw, publicado em 1774, e a famosa *Introdução à filosofia da história,* de Hegel.

1) De Pauw nos propõe suas reflexões sobre os índios da América do Norte. Sua convicção é a de que sobre estes últimos

APRENDER ANTROPOLOGIA 43

a influência da natureza é total, ou mais precisamente negativa.
Se essa raça inferior não tem história e está para sempre conde-
nada, por seu estado "degenerado", a permanecer fora do movimento da História, a razão deve ser atribuída ao clima de uma
extrema umidade:

> Deve existir, na organização dos americanos, uma causa
> qualquer que embrutece sua sensibilidade e seu espírito. A qualida-
> de do clima, a grosseria de seus humores, o vício radical do sangue,
> a constituição de seu temperamento excessivamente fleumático po-
> dem ter diminuído o tom e o saracoteio dos nervos desses homens
> embrutecidos.

Eles têm, prossegue Pauw, um "temperamento tão úmido
quanto o ar e a terra onde vegetam" e que explica que eles não
tenham nenhum desejo sexual. Em suma, são "infelizes que suportam todo o peso da vida agreste na escuridão das florestas,
parecem mais animais do que vegetais". Após a degenerescên-
cia ligada a um "vício de constituição física", Pauw chega à
degradação moral. É a quinta parte do livro, cuja primeira seção
é intitulada: "O gênio embrutecido dos americanos".

> A insensibilidade, escreve nosso autor, é neles um vício de
> sua constituição alterada; eles são de uma preguiça imperdoável,
> não inventam nada, não empreendem nada, e não estendem a esfera
> de sua concepção além do que veem pusilânimes, covardes, irrita-
> dos, sem nobreza de espírito, o desânimo e a falta absoluta daquilo
> que constitui o animal racional os tornam inúteis para si mesmos
> e para a sociedade. Enfim, os californianos vegetam mais do que
> vivem, e somos tentados a recusar-lhes uma alma.

Essa separação entre um estado de natureza concebido por
Pauw como irremediavelmente imutável, e o estado de civiliza-

ção, pode ser visualizado num mapa-múndi. No século XVIII, a enciclopédia efetua dois traçados: um longitudinal, que passa por Londres e Paris, situando de um lado a Europa, a África e a Ásia, e de outro a América; e um latitudinal, dividindo o que se encontra ao norte e ao sul do equador. Mas, enquanto para Buffon, a proximidade ou o afastamento da linha equatorial são explicativos não apenas da constituição física mas do moral dos povos, o autor das *Pesquisas filosóficas sobre os americanos* escolhe claramente o critério latitudinal, fundamento, aos seus olhos, da distribuição da população mundial, distribuição essa não cultural e sim natural da civilização e da barbárie: "A natureza tirou tudo de um hemisfério deste globo para dá-lo ao outro". "A diferença entre um hemisfério e o outro (o Antigo e o Novo Mundo) é total, tão grande quanto poderia ser e quanto podemos imaginá-la": de um lado, a humanidade, e de outro, a "estupidez na qual vegetam" esses seres indiferenciados:

> Igualmente bárbaros, vivendo igualmente da caça e da pesca, em países frios, estéreis, cobertos de florestas, que desproporção se queria imaginar entre eles? Onde se sente as mesmas necessidades, onde os meios de satisfazê-los são os mesmos, onde as influências do ar são tão semelhantes, é possível haver contradição nos costumes ou variações nas ideias?

Pauw responde, evidentemente, de forma negativa. Os indígenas americanos vivem em um "estado de embrutecimento" geral. Tão degenerados uns quanto os outros, seria em vão procurar entre eles variedades distintivas daquilo que se pareceria com uma cultura e com uma história.[7]

2) Os julgamentos que acabamos de relatar — que estão, notamos, em ruptura com a ideologia dominante do século

---

7. Sobre C. de Pauw, cf. os trabalhos de M. Duchet (1971, 1985).

XVIII, da qual falaremos mais adiante, e em especial com o *Discurso sobre a desigualdade,* de Rousseau, publicado vinte anos antes —, por excessivos que sejam, apenas radicalizam ideias compartilhadas por muitas pessoas nessa época. Ideias que serão retomadas e expressas nos mesmos termos em 1830 por Hegel, o qual, em sua *Introdução à filosofia da história,* nos expõe o horror que ele ressente frente ao estado de natureza, que é o desses povos que jamais ascenderão à "história" e à "consciência de si".

Na leitura dessa *Introdução,* a América do Sul parece mais estúpida ainda do que a do Norte. A Ásia aparentemente não está muito melhor. Mas é a África, e, em especial, a África profunda do interior, onde a civilização nessa época ainda não penetrou, que representa para o filósofo a forma mais nitidamente inferior entre todas nessa infra-humanidade:

> É o país do ouro, fechado sobre si mesmo, o país da infância, que, além do dia e da história consciente, está envolto na cor negra da noite.

Tudo, na África, é nitidamente visto sob o signo da falta absoluta: os "negros" não respeitam nada, nem mesmo eles próprios, já que comem carne humana e fazem comércio da "carne" de seus próximos. Vivendo em uma ferocidade bestial inconsciente de si mesma, em uma selvageria em estado bruto, eles não têm moral, nem instituições sociais, religião ou Estado.[8] Petrificados em uma desordem inexorável, nada, nem mesmo as forças da colonização, poderá nunca preencher o fosso que os separa da História universal da humanidade.

---

8. "O fato de devorar homens corresponde ao princípio africano". Ou ainda: "São os seres mais atrozes que tenha no mundo, seu semelhante é para eles apenas uma carne como qualquer outra, suas guerras são ferozes e sua religião pura superstição".

Na descrição dessa africanidade estagnante da qual não há absolutamente nada a esperar — e que ocupa rigorosamente em Hegel o lugar destinado à indianidade em Pauw —, o autor da *Fenomenologia do espírito* vai, vale a pena notar, mais longe que o autor das *Pesquisas filosóficas sobre os americanos*. O "negro" nem mesmo se vê atribuir o estatuto de vegetal. "Ele cai", escreve Hegel, "para o nível de uma coisa, de um objeto sem valor".

A FIGURA DO BOM SELVAGEM E DO MAU CIVILIZADO

A figura de uma natureza má na qual vegeta um selvagem embrutecido é eminentemente suscetível de se transformar em seu oposto: a da boa natureza dispensando suas benfeitorias à um selvagem feliz. Os termos da atribuição permanecem, como veremos, rigorosamente idênticos, da mesma forma que o par constituído pelo sujeito do discurso (o civilizado) e seu objeto (o natural). Mas efetua-se dessa vez a inversão daquilo que era apreendido como um vazio que se torna um cheio (ou plenitude), daquilo que era apreendido como um menos que se torna um mais. O caráter privativo dessas sociedades *sem* escrita, *sem* tecnologia, *sem* economia, *sem* religião organizada, *sem* clero, *sem* sacerdotes, *sem* polícia, *sem* leis, *sem* Estado — acrescentar-se-á, no século XX, sem complexo de Édipo — não constitui uma desvantagem. O selvagem não é quem pensamos.

Evidentemente, essa representação concorrente (mas que consiste apenas em inverter a atribuição de significações e valores dentro de uma estrutura idêntica) permanece ainda bastante rígida na época na qual o Ocidente descobre povos ainda desconhecidos. A figura do bom selvagem só encontrará sua formulação mais sistemática e mais radical dois séculos após o Renascimento: no rousseauísmo do século XVIII e, em seguida,

APRENDER ANTROPOLOGIA 47

no Romantismo. Não deixa porém de estar presente, pelo menos em estado embrionário, na percepção que têm os primeiros viajantes. Américo Vespúcio descobre a América:

> As pessoas estão nuas, são bonitas, de pele escura, de corpo elegante... Nenhum possui qualquer coisa que seja, pois tudo é colocado em comum. E os homens tomam por mulheres aquelas que lhes agradam, sejam elas sua mãe, sua irmã, ou sua amiga, entre as quais eles não fazem diferença... Eles vivem cinquenta anos. E não têm governo.

Cristóvão Colombo, aportando no Caribe, descobre, ele também, o paraíso:

> Eles são muito mansos e ignorantes do que é o mal, eles não sabem se matar uns aos outros (...) Eu não penso que haja no mundo homens melhores, como também não há terra melhor.

Toda a reflexão de Léry e de Montaigne no século XVI sobre os "naturais" baseia-se sobre o tema da noção de crueldade respectiva de uns e outros, e, pela primeira vez, instaura-se uma crítica da civilização e um elogio da "ingenuidade original" do estado de natureza. Léry, entre os Tupinambá, interroga-se sobre o que se passa "aquém", isto é, na Europa. Ele escreve, a respeito de "nossos grandes usurários": "Eles são mais cruéis do que os selvagens dos quais estou falando". E Montaigne, sobre esses últimos: "Podemos portanto de fato chamá-los de bárbaros quanto às regras da razão, mas não quanto a nós mesmos que os superamos em toda sorte de barbárie". Para o autor dos *Ensaios,* esse estado paradisíaco que teria sido o nosso outrora, talvez esteja conservado em alguma parte. O huguenote que eu interroguei até o encontrou.

48 A PRÉ-HISTÓRIA DA ANTROPOLOGIA

Esse fascínio exercido pelo indígena americano, e em especial pelos Huron,[9] protegidos da civilização e que nos convidam a reencontrar o universo caloroso da natureza, triunfa nos séculos XVII e XVIII. Nas primeiras *Relações* dos jesuítas que se instalam entre os Huron desde 1626 pode-se ler:

> Eles são afáveis, liberais, moderados... Todos os nossos padres que frequentaram os Selvagens consideram que a vida se passa mais docemente entre eles do que entre nós. Seu ideal: viver em comum sem processo, contentar-se de pouco sem avareza, ser assíduo no trabalho.

Do lado dos livres-pensadores, é o mesmo grito de entusiasmo; La Hontan:

> Ah! Viva os Huron que sem lei, sem prisões e sem torturas passam a vida na doçura, na tranquilidade, e gozam de uma felicidade desconhecida dos franceses.

Essa admiração não é compartilhada apenas pelos navegadores estupefatos.[10] O selvagem ingressa progressivamente na

---

9. Um dos primeiros textos sobre os Huron é publicado em 1632: *Le grand voyage au pays des Hurons,* de Gabriel Sagard. A seguir temos: em 1703, *Le Supplement aux voyages du baron de La Hontan où l'on trouve des dialogues curieux entre l'auteur et un sauvage;* em 1744, *Moeurs des sauvages américains,* de Lafitau; em 1767, *L'Ingénu,* de Voltaire... Notemos que de cada população encontrada nasce um estereótipo. Se o discurso europeu sobre os Astecas e os Zulus faz, na maior parte das vezes, referência à crueldade, o discurso sobre os Esquimós recai sobre sua hospitalidade, estes últimos não hesitando em oferecer suas mulheres como presente; a imagem da bondade inocente é sem dúvida predominante em grande parte na literatura sobre os índios.

10. No século XVIII, um marinheiro francês escreve em seu diário de viagem: "A inocência e a tranquilidade está entre eles, desconhecem o orgulho e a avareza e não trocariam essa vida e seu país por qualquer coisa no mundo" (comentários relatados por J. P. Duviols, 1978).

filosofia — os pensadores das Lumières[11] —, mas também nos salões literários e nos teatros parisienses. Em 1721 é montado um espetáculo intitulado *O arlequim selvagem.* O personagem de um Huron trazido para Paris declama no palco:

> Vocês são loucos, pois procuram com muito empenho uma infinidade de coisas inúteis; vocês são pobres, pois limitam seus bens ao dinheiro, em vez de simplesmente gozar da criação, como nós, que não queremos nada a fim de desfrutar mais livremente de tudo.

É a época em que todos querem ver os *Indes galantes* que Rameau acabara de escrever, a época em que se exibem nas feiras verdadeiros selvagens. Manifestações essas que constituem uma verdadeira acusação contra a civilização. Depois, o fascínio pelos índios será substituído progressivamente, a partir do fim do século XVIII, pelo charme e prazer idílico que provoca o encanto das paisagens e dos habitantes dos mares do sul, dos arquipélagos polinésios, em especial Samoa, as ilhas Marquises, a ilha de Páscoa, e sobretudo o Taiti. Aqui está, por exemplo, o que escreve Bougainville em sua *Viagem ao redor do mundo* (reed. 1980):

> Seja dia ou noite, as casas estão abertas. Cada um colhe as frutas na primeira árvore que encontra, ou na casa onde entra... Aqui um doce ócio é compartilhado pelas mulheres, e o empenho em agradar é sua mais preciosa ocupação... Quase todas aquelas ninfas estavam nuas... As mulheres pareciam não querer aquilo que elas mais desejavam... Tudo lembra a cada instante as doçuras do amor, tudo incita ao abandono.

---

11. Condillac escreve: "Nós que nos consideramos instruídos, precisaríamos ir entre os povos mais ignorantes, para aprender destes o começo de nossas descobertas: pois é sobretudo desse começo que precisaríamos: ignoramo-lo porque deixamos há tempo de ser os discípulos da natureza".

Todos os discursos que acabamos de citar, especialmente os que exaltam a doçura das sociedades "selvagens" e, correlativamente, fustigam tudo que pertence ao Ocidente, ainda são atuais. Se não o fossem, não nos seriam diretamente acessíveis, não nos tocariam mais. Ora, é precisamente a esse imaginário da viagem, a esse desejo de fazer existir em um "alhures" uma sociedade de prazer e de saudade, em suma, uma humanidade convivial cujas virtudes se estendam à magnificência da fauna e da flora (Chateaubriand, Segalen, Conrad, Melville...), que a etnologia deve grande parte de seu sucesso com o público.

O tema desses povos que podem eventualmente nos ensinar a viver e dar ao Ocidente mortífero lições de grandeza, como acabamos de ver, não é novidade. Mas grande parte do público está infinitamente mais disponível agora do que antes para se deixar persuadir que às sociedades constrangedoras da abstração, do cálculo e da impessoalidade das relações humanas, opõem-se sociedades de solidariedade comunitária, abrigadas na suntuosidade de uma natureza generosa. A decepção ligada aos "benefícios" do progresso (nos quais muitos entre nós acreditam cada vez menos), bem como a solidão e o anonimato do nosso ambiente de vida, fazem com que parte de nossos sonhos só aspirem a se projetar nesse paraíso (perdido) dos trópicos ou dos mares do Sul, que o Ocidente teria substituído pelo inferno da sociedade tecnológica.

Mas convém, a meu ver, ir mais longe. O etnólogo, como o militar, é recrutado no civil. Ele compartilha com os que pertencem à mesma cultura que a sua as mesmas insatisfações, angústias, desejos. Se essa busca do *Último dos moicanos,* essa etnologia do selvagem do tipo "vento dos coqueiros" (que é na realidade uma etnologia selvagem) contribui para a popularidade de nossa disciplina; ela está presente nas motivações dos próprios etnólogos. Malinowski terá a franqueza de escrever e será muito criticado por isso:

APRENDER ANTROPOLOGIA 51

Um dos refúgios fora dessa prisão mecânica da cultura é o estudo das formas primitivas da vida humana, tais como existem ainda nas sociedades longínquas do globo. A antropologia, para mim, pelo menos, era uma fuga romântica para longe de nossa cultura uniformizada.

Ora, essa "nostalgia do neolítico", de que fala Alfred Métraux e que esteve na origem de sua própria vocação de etnólogo, é encontrada em muitos autores, especialmente nas descrições de populações preservadas do contato corruptor com o mundo moderno, vivendo na harmonia e na transparência. O qualificativo que fez sucesso para designar o estado dessas sociedades, que são caracterizadas pela riqueza das trocas simbólicas, foi certamente o de "autêntico" (oposto à alienação das sociedades industriais adiantadas), termo proposto por Sapir em 1925, e que é erroneamente atribuído a Lévi-Strauss.

* * *

A imagem que o ocidental se fez da alteridade (e correlativamente de si mesmo) não parou, portanto, de oscilar entre os polos de um verdadeiro movimento pendular. Pensou-se *alternadamente* que o selvagem:

• era um monstro, um "animal com figura humana" (Léry), a meio caminho entre a animalidade e a humanidade, mas também que os monstros éramos nós, sendo que ele tinha lições de humanidade a nos dar;

• levava uma existência infeliz e miserável, ou, pelo contrário, vivia num estado de beatitude, adquirindo sem esforços os produtos maravilhosos da natureza, enquanto que o Ocidente era, por sua vez, obrigado a assumir as duras tarefas da indústria;

• era trabalhador e corajoso, ou essencialmente preguiçoso;

52 A PRÉ-HISTÓRIA DA ANTROPOLOGIA

• não tinha alma e não acreditava em nenhum deus, ou era profundamente religioso;

• vivia num eterno pavor do sobrenatural, ou, ao inverso, na paz e na harmonia;

• era um anarquista sempre pronto a massacrar seus semelhantes, ou um comunista decidido a tudo compartilhar, até e inclusive suas próprias mulheres;

• era admiravelmente bonito, ou feio;

• era movido por uma impulsividade criminalmente congênita quando era legítimo temer, ou devia ser considerado como uma criança precisando de proteção;

• era um embrutecido sexual levando uma vida de orgia e devassidão permanente, ou, pelo contrário, um ser preso, obedecendo estritamente aos tabus e às proibições de seu grupo;

• era atrasado, estúpido e de uma simplicidade brutal, ou profundamente virtuoso e eminentemente complexo;

• era um animal, um "vegetal" (De Pauw), uma "coisa", um "objeto sem valor" (Hegel), ou participava, pelo contrário, de uma humanidade da qual tinha tudo como aprender.

Tais são as diferentes construções em presença (nas quais a repulsão se transforma rapidamente em fascínio) dessa alteridade fantasmática que não tem muita relação com a realidade. O outro – o índio, o taitiano, mais recentemente o basco ou o bretão — é simplesmente utilizado como suporte de um imaginário cujo lugar de referência nunca é a América, Taiti, o País Basco ou a Bretanha. São objetos-pretextos que podem ser mobilizados tanto com vistas à exploração econômica, quanto ao militarismo político, à conversão religiosa ou à emoção estética. Mas, em todos os casos, o outro não é considerado para si mesmo. Mal se olha para ele. *Olha-se a si mesmo nele.*

Voltemos ao nosso ponto de partida: o Renascimento. Seria em vão, talvez anacrônico, descobrir nele o que poderia aparentar-se a um pensamento etnológico, tão problemático, como acabamos de observar, ainda no final do século XX. Não basta viajar e surpreender-se com o que se vê para tornar-se etnólogo (não basta mesmo ter numerosos anos de "campo", como se diz hoje). Porém, numerosos viajantes nessa época colocam problemas (o que não significa uma problemática) aos quais será necessariamente confrontado qualquer antropólogo. Eles abrem o caminho daquilo que laboriosamente irá se tornar a etnologia. Jean de Léry, entre os indígenas brasileiros, pergunta-se: é preciso rejeitá-los fora da humanidade? Considerá-los como virtualidades de cristãos? Ou questionar a visão que temos da própria humanidade, isto é, reconhecer que a cultura é plural? Através de muitas contradições (a oscilação permanente entre a conversão e o olhar, os objetivos teológicos e os que poderíamos chamar de etnográficos, o ponto de vista normativo e o ponto de vista narrativo), o autor da *Viagem* não tem resposta. Mas as questões (e para o que nos interessa aqui, mas especificamente a última) estão no entanto implicitamente colocadas. Montaigne (hoje às vezes criticado), mesmo se o que o preocupa é menos a humanidade dos índios do que a inumanidade dos europeus, seguindo nisso Léry, que transporta para o "Novo Mundo" os conflitos do antigo, começa a introduzir a dúvida no edifício do pensamento europeu. Ele testemunha o desmoronamento possível desse pensamento, menos inclusive ao pronunciar a condenação da civilização do que ao considerar que a "selvageria" não é nem inferior nem superior, e sim *diferente*.

Assim, essa época, muito timidamente, é verdade, e por apenas alguns de seus espíritos os menos ortodoxos, a partir da observação direta de um objeto distante (Léry) e da reflexão a distância sobre esse objeto (Montaigne), permite a constituição progressiva, não de um saber antropológico, muito menos de uma ciência antropológica, mas sim de um saber pré-antropológico.

2. O SÉCULO XVIII:
a invenção do conceito de homem

Se durante o Renascimento esboçou-se, com a exploração geográfica de continentes desconhecidos, a primeira interrogação sobre a existência múltipla do homem, essa interrogação fechou-se muito rapidamente no século seguinte, no qual a evidência do *cogito*, fundador da ordem do pensamento clássico, exclui da razão o louco, a criança, o selvagem, enquanto figuras da anormalidade.

Será preciso esperar o século XVIII para que se constitua o *projeto* de fundar uma *ciência do homem*, isto é, de um saber não mais exclusivamente especulativo, e sim *positivo* sobre o homem. Enquanto encontramos no século XVI elementos que permitem compreender a pré-história da antropologia, e enquanto o século XVII (cujos discursos não nos são mais diretamente acessíveis hoje) interrompe nitidamente essa evolução, apenas no século XVIII é que entramos verdadeiramente, como mostrou Michel Foucault (1966), na modernidade. Apenas nessa época, e não antes, é que se pode apreender as condições históricas, culturais e epistemológicas de possibilidade daquilo que vai se tornar a antropologia.

Antes do final do século XVIII, escreve Foucault, o homem não existia. Como também o poder da vida, a fecundidade do trabalho ou a densidade histórica da linguagem. É uma criatura muito recente que o demiurgo do saber fabricou com suas próprias mãos, há menos de duzentos anos (...) Uma coisa em todo caso é certa, o homem não é o mais antigo problema, nem o mais constante que tenha sido colocado ao saber humano. O homem é uma invenção e a arqueologia de nosso pensamento mostra o quanto é recente. E, acrescenta Foucault no final de *As palavras e as coisas,* quão próximo talvez seja o seu fim.

O projeto antropológico (e não a realização da antropologia como a entendemos hoje) supõe:

1) *a construção de um certo número de conceitos,* começando pelo próprio conceito de *homem,* não apenas enquanto sujeito, mas enquanto objeto do saber; abordagem totalmente inédita, já que consiste em introduzir dualidade característica das ciências exatas (o sujeito observante e o objeto observado) no coração do próprio homem;

2) *a constituição de um saber que não seja apenas de reflexão, e sim de observação,* isto é, de um novo modo de acesso ao homem, que passa a ser considerado em sua existência concreta, envolvida nas determinações de seu organismo, de suas relações de produção, de sua linguagem, de suas instituições, de seus comportamentos. Assim começa a constituição dessa *positividade* de um saber *empírico* (e não mais transcendental) sobre o homem enquanto ser vivo (biologia), que trabalha (economia), pensa (psicologia) e fala (linguística)... Montesquieu, em *O espírito das leis (1748),* ao mostrar a relação de interdependência que é a dos fenômenos sociais, abriu o caminho para Saint-Simon que foi o primeiro (no século seguinte) a falar em uma "ciência da sociedade". Da mesma forma, antes dessa época, a linguagem, quando tomada em consideração, era objeto de

filosofia ou exegese. Tornou-se paulatinamente (com de Brosses e Rousseau) o objeto específico, de um saber científico (ou, pelo menos, de vocação científica);

3) *uma problemática essencial: a da diferença.* Rompendo com a convicção de uma transparência imediata do *cogito,* coloca-se pela primeira vez no século XVIII a questão da *relação ao impensado,* bem como a dos possíveis processos de reapropriação dos nossos condicionamentos fisiológicos, das nossas relações de produção, dos nossos sistemas de organização social. Assim, inicia-se uma ruptura com o pensamento do *mesmo,* e a constituição da ideia de que a linguagem nos precede, pois somos antes exteriores a ela. Ora, tais reflexões sobre os limites do saber, assim como sobre as relações de sentido e poder (que anunciam o fim da metafísica) eram inimagináveis antes. A sociedade do século XVIII vive uma crise da identidade do humanismo e da consciência europeia. Parte de suas elites busca suas referências em um confronto com o distante.

Em 1724, ao publicar *Os costumes dos selvagens americanos comparados aos costumes dos primeiros tempos,* Lafitau se dá por objetivo o de fundar uma "ciência dos costumes e hábitos" que, além da contingência dos fatos particulares, poderá servir de comparação entre várias formas de humanidade. Em 1801, Jean Itard escreve *Da educação do jovem selvagem do Aveyron.* Ele se interroga sobre a comum humanidade à qual pertencem o homem da civilização em que nos transportamos e o homem da natureza, a criança-lobo.[1] Mas foi Rousseau quem traçou, em seu *Discurso sobre a origem e os fundamentos da desigualdade,* o programa que se tornará o da etnologia clássica, tanto no seu campo temático[2] quanto na sua abordagem: a indução de que falaremos agora;

---

1. Cf. o filme de François Truffaut, *L'Enfant sauvage* (1970), e o livro de Lucien Malson que lhe serviu de base.

2. Rousseau estabelece a lista das regiões devedoras de viagens "filosóficas": o mundo inteiro menos a Europa ocidental.

4) *um método de observação e análise:* o *método indutivo.* Os grupos sociais (que começam a ser comparados a organismos vivos) podem ser considerados como sistemas "naturais" que devem ser estudados empiricamente, a partir da observação de fatos, a fim de extrair princípios gerais, que hoje chamaríamos de leis.

Esse *naturalismo,* que consiste numa emancipação definitiva em relação ao pensamento teológico, impõe-se em especial na Inglaterra,[3] com Adam Smith e, antes dele, David Hume, que escreve em 1739 seu *Tratado sobre a natureza humana,* cujo título completo é *Tratado sobre a natureza humana: tentativa de introdução de um método experimental de raciocínio para o estudo de assuntos de moral.* Os filósofos ingleses colocam as premissas de todas as pesquisas que procurarão fundar, no século XVIII, uma "moral natural", um "direito natural", ou ainda uma "religião natural".

* * *

Esse projeto de um conhecimento *positivo* do homem — isto é, de um estudo de sua existência empírica considerada por sua vez como objeto do saber — constitui um evento considerável na história da humanidade. Um evento que se deu no Ocidente no século XVIII, que, evidentemente, não ocorreu da noite para o dia, mas que terminou impondo-se, já que se tornou definitivamente constitutivo da modernidade na qual, a partir dessa época, entramos. A fim de avaliar melhor a natureza dessa verdadeira revolução do pensamento — que instaura uma ruptura tanto com o "humanismo" do Renascimento como com o "racionalismo" do século clássico —, examinemos de mais perto o que mudou radicalmente desde o século XVI.

---

3. A precocidade e preeminência, no pensamento inglês, do empirismo em relação ao pensamento francês, caracterizado antes pelo racionalismo (e idealismo), podem a meu ver explicar em parte o crescimento rápido (no começo do século XX) da antropologia britânica e o atraso da antropologia francesa.

1) Trata-se em primeiro lugar da *natureza dos objetos observados*. Os relatos dos viajantes dos séculos XVI e XVII eram mais uma *busca cosmográfica* do que uma *pesquisa etnográfica*. Afora algumas incursões tímidas para área das "inclinações" e dos "costumes",[4] o objeto de observação, nessa época, era mais o céu, a terra, a fauna e a flora, do que o homem em si, e, quando se tratava deste, era essencialmente o *homem físico* que era tomado em consideração. Ora, o século XVIII traça o primeiro esboço daquilo que se tornará uma antropologia *social e cultural,* constituindo-se inclusive, ao mesmo tempo, tomando como modelo a antropologia física, e instaurando uma ruptura do monopólio desta (especialmente na França).

2) Simultaneamente, o destaque se desloca pouco a pouco do *objeto de estudo* para a *atividade epistemológica,* que se torna *cada vez mais organizada*. Os viajantes dos séculos XVI e XVII coletavam "curiosidades". Espíritos curiosos reuniam coleções que iam formar os famosos "gabinetes de curiosidades", ancestrais dos nossos museus contemporâneos. No século XVIII, a questão é: como coletar? E como dominar em seguida o que foi coletado? Com a *História geral das viagens,* do padre Prévost (1746-1759), passa-se da coleta dos materiais para a coleção das coletas. Não basta mais observar, é preciso processar a observação. Não basta mais interpretar o que é observado, é preciso interpretar interpretações.[5] E é desse desdobramento, isto é, desse discurso, que vai justamente brotar uma atividade de organização e elaboração. Em 1789, Chavane, o primeiro, dará a essa atividade um nome. Ele a chamará: a etnologia.

* * *

---

4. Cf. em especial *L'Histoire naturelle et morale des indes,* de Acosta (1591), ou o questionário que Beauvilliers envia aos intendentes em 1697 para obter informações sobre o estado das mentalidades populares no reino.

5. Cf. sobre isso G. Leclerc, 1979

APRENDER ANTROPOLOGIA

Finalmente, é no século XVIII que se forma o par do viajante e do filósofo: o viajante: Bougainville, Maupertuis, La Condamine, Cook, La Pérouse..., realizando o que é chamado na época de "viagens filosóficas", precursoras das nossas missões científicas contemporâneas; e o filósofo: Buffon, Voltaire, Rousseau, Diderot (cf. em especial o seu *Suplemento à viagem de Bougainville*), "esclarecendo" com suas reflexões as observações trazidas pelo viajante.

Mas esse par não tem realmente nada de idílico. Que pena, pensa Rousseau, que os viajantes não sejam filósofos! Bougainville retruca (em 1771 em sua *Viagem ao redor do mundo):* que pena que os filósofos não sejam viajantes![6] Para o primeiro, bem como para todos os filósofos naturalistas do Século das Luzes, se é essencial observar, é preciso ainda que a observação seja *esclarecida.* Uma prioridade é portanto conferida ao observador, sujeito que, para apreender corretamente seu objeto, deve possuir um certo número de qualidades. E é assim que se constitui, na passagem do século XVIII para o século XIX, a Sociedade dos Observadores do Homem (1799-1805), formada pelos então chamados "ideólogos", que são moralistas, filósofos, naturalistas e médicos que definem muito claramente o que deve ser o campo da nova área de saber (o homem nos seus aspectos físi-

---

6. Rousseau: "Suponhamos um Montesquieu, um Buffon, um Diderot, um d'Alembert, um Condillac, ou homens de igual capacidade, viajando para instruir seus compatriotas, observando como sabem fazê-lo a Turquia, o Egito, a Barbária... Suponhamos que esses novos Hércules, de volta de suas andanças memoráveis, fizessem a seguir a história natural, moral e política do que teriam visto, veríamos nascer de seus escritos um mundo novo, e aprenderíamos assim a conhecer o nosso...".

Bougainville: "Sou viajante e marinheiro, isto é, um mentiroso e um imbecil aos olhos dessa classe de escritores preguiçosos e soberbos que, na sombra de seu gabinete, filosofam sem fim sobre o mundo e seus habitantes, e submetem imperiosamente a natureza a suas imaginações. Modos bastante singulares e inconcebíveis da parte de pessoas que, não tendo observado nada por si próprias, só escrevem e dogmatizam a partir de observações tomadas desses mesmos viajantes aos quais recusam a faculdade de ver e pensar".

60 O SÉCULO XVIII

cos, psíquicos, sociais, culturais) e quais devem ser suas exigências epistemológicas.

As *Considerações sobre* os d*iversos métodos a seguir na observação dos povos selvagens,* de De Gerando (1800), são, quanto a isso, exemplares. Primeira metodologia da viagem, destinada aos pesquisadores de uma missão nas "Terras Austrais", esse texto é uma crítica da observação selvagem do selvagem, que procura orientar o olhar do observador. O cientista naturalista deve ser ele próprio testemunha ocular do que observa, pois a nova ciência — qualificada de "ciência do homem" ou "ciência natural" — é uma "ciência de observação", devendo o observador participar da própria existência dos grupos sociais observados.[7]

Porém, o projeto de De Gerando não foi aplicado por aqueles a que se destinava diretamente, e não será, por muito tempo ainda, levado em conta.[8] Se esse programa, que consiste em ligar uma reflexão organizada a uma observação sistemática, não apenas do homem físico, mas também do homem social e cultural, não pôde ser realizado, é porque a época ainda não o permitia. O final do século XVIII teve um papel essencial na

---

7. Estamos longe de Montaigne, que se contenta em acreditar nas palavras de "um homem simples e rude", um huguenote que esteve no Brasil, a respeito dos índios entre os quais esteve.

8. Os cientistas da expedição conduzida por Bodin não eram de forma alguma etnógrafos, e sim médicos, zoólogos, minerálogos, e os objetos etnográficos que recolheram não foram sequer depositados no Museu de História Natural de Paris, e sim dispersados em coleções particulares. O próprio Gerando, "observador dos povos selvagens" em 1800, torna-se "visitante dos pobres" em 1824. O que mostra a prontidão de uma passagem possível entre o estudo dos indígenas e a ajuda aos indigentes, mas sobretudo, nessa época, uma certa ausência de distinção entre a antropologia principiante e a "filantropia".
Notemos finalmente que, publicado em 1800, o *mémoire* de Gerando só foi reeditado na França em 1883. E o primeiro museu etnográfico da França foi fundado apenas cinco anos antes (em Paris, no Trocadero), sendo depois substituído pelo atual Museu do Homem.

elaboração dos fundamentos de uma "ciência humana". Não podia ir mais longe, e não poderíamos creditá-lo àquilo que só será possível um século depois.

Mais especificamente, o obstáculo maior ao advento de uma antropologia científica, no sentido no qual a entendemos hoje, está ligado, ao meu ver, a dois motivos essenciais.

1) A distinção entre o *saber científico* e o *saber filosófico*, mesmo sendo abordada, não é de forma alguma realizada. Evidentemente, o conceito da unidade e universalidade do homem, que é pela primeira vez claramente afirmado, coloca as condições de produção de um novo saber sobre o homem. Mas não leva *ipso facto* à constituição de um saber positivo. No final do século XVIII, o homem interroga-se: sobre a natureza, mas não há *biologia* ainda (será preciso esperar Cuvier); sobre a produção e repartição das riquezas, mas ainda não se trata de *economia* (Ricardo); sobre seu discurso, mas isso não basta para elaborar uma *filosofia* (Bopp), muito menos uma *linguística*.[9]

O conceito de homem tal como é utilizado no "Século das Luzes" permanece ainda muito abstrato, isto é, rigorosamente filosófico. Estamos na impossibilidade de imaginar o que consideramos hoje como as próprias condições epistemológicas da pesquisa antropológica. De fato, para esta, o objeto de observa-

---

9. A antropologia contemporânea me parece, pessoalmente dividida entre uma homenagem a esses pais fundadores que são os filósofos do século XVIII (Lévi-Strauss, por exemplo, considera que o *Discours sur l'origine de l'inégalité de Rousseau* é "o primeiro tratado de Etnologia geral") e um assassínio ritual consistindo na reatualização de uma ruptura com um projeto que permanece filosófico, enquanto que a ciência exige a constituição de um saber positivo e especializado. Mas neste segundo caso, a positividade, não mais do saber, e sim de saberes que, muito rapidamente (a partir do século XIX), se rompem e parcelam, formando o que Foucault chama de "ontologias regionais" constituindo-se em torno dos territórios da vida (biologia), do trabalho (economia), da linguagem (linguística), é evidentemente problemática para o antropólogo, que não pode resignar-se a trabalhar em uma área setorizada.

ção não é o "homem", e sim indivíduos que pertencem a uma época e a uma cultura, e o sujeito que observa não é de forma alguma o sujeito da antropologia filosófica, e sim um outro indivíduo que pertence ele próprio a uma época e a uma cultura.

2) O discurso antropológico do século XVIII é inseparável do discurso histórico desse período, isto é, de sua concepção de uma *história natural,* liberada da teologia e animando a marcha das sociedades no caminho de um progresso universal. Restará um passo considerável a ser dado para que a antropologia se emancipe deste pensamento e conquiste finalmente sua autonomia. Paradoxalmente, esse passo será dado no século XIX (em especial com Morgan) a partir de uma abordagem igualmente e até, talvez, mais marcadamente historicista: o evolucionismo. É o que veremos a seguir.

3. O TEMPO DOS PIONEIROS:
os pesquisadores-eruditos do século XIX

O século XVI descobre e explora espaços até então desconhecidos e tem um discurso selvagem sobre os habitantes que povoam esses espaços. Após um parêntese no século XVII, esse discurso se organiza no século XVIII: ele é "iluminado" à luz dos filósofos, e a viagem se torna "viagem filosófica". Mas a primeira — a grande — tentativa de unificação, isto é, de instauração de redes entre esses espaços, e de reconstituição de temporalidades é incontestavelmente obra do século XIX. Esse século XIX, hoje tão desacreditado, realiza o que antes eram apenas empreendimentos programáticos. Dessa vez, é a época durante a qual se constitui verdadeiramente a antropologia enquanto disciplina autônoma: a ciência das *sociedades primitivas* em todas as suas dimensões (biológica, técnica, econômica, política, religiosa, linguística, psicológica...) enquanto que, notamo-lo, em se tratando da nossa sociedade, essas perspectivas estão se tornando individualmente disciplinas particulares cada vez mais especializadas.

Com a revolução industrial inglesa e a revolução política francesa, percebe-se que a sociedade mudou e nunca mais voltará a ser o que era. A Europa se vê confrontada a uma conjuntura inédita. Seus modos de vida e suas relações sociais sofrem uma mutação sem precedente. Um mundo está terminando, e um outro está nascendo. Se o final do século XVIII começava a sentir essas transformações, ele reagia ao enigma colocado pela existência de sociedades que tinham permanecido fora dos progressos da civilização, trazendo uma dupla resposta abandonada pela do século que nos interessa agora:

— resposta que *confia* nas vantagens da civilização e considera totalmente estranhas a ela própria todas essas formas de existência que estão situadas fora da história e da cultura (de Pauw, Hegel);

— mas sobretudo resposta preocupada, que se expressa na nostalgia do antigo que ainda subsiste noutro lugar: o estado de felicidade do homem num ambiente protetor situa-se do lado do "estado de natureza", enquanto que a infelicidade está do lado da civilização (Rousseau).

Ora, no século XIX o contexto geopolítico é totalmente novo: é o período da *conquista colonial,* que desembocará em especial na assinatura, em 1885, do Tratado de Berlim, que rege a partilha da África entre as potências europeias e põe um fim às soberanias africanas.

É no movimento dessa conquista que se constitui a antropologia moderna, o antropólogo acompanhando de perto, como veremos, os passos do colono. Nessa época, a África, a Índia, a Austrália, a Nova Zelândia passam a ser povoadas de um número considerável de emigrantes europeus; não se trata mais de alguns missionários apenas, e sim de administradores. Uma rede de informações se instala. São os questionários enviados por pesquisadores das metrópoles (em especial da Grã-Bretanha) para os quatro cantos do mundo,[1] e cujas respostas constituem

---

1. Morgan escreveu, assim, *System of consanguinity and affinity of the human family* (1879), em seguida Frazer (a partir de suas *Questions sur les manières, les coutumes, la religions, les superstitions des peuples non-civilisés ou*

os materiais de reflexão das primeiras grandes obras de antropologia que se sucederão em ritmo regular durante toda a segunda metade do século. Em 1861, Maine publica *Ancient law;* em 1861, Bachofen, *Das Mutterrecht;* em 1864, Fustel de Coulanges, *La cité antique;* em 1865, MacLennan, O *casamento primitivo;* em 1871, Tylor, *A cultura primitiva;* em 1877, Morgan, *A sociedade antiga;* em 1890, Frazer, os primeiros volumes do *Ramo de ouro.*

Todas essas obras, que têm uma ambição considerável — seu objetivo não é nada menos que o estabelecimento de um verdadeiro *corpus* etnográfico da humanidade — caracterizam-se por uma mudança radical de perspectiva em relação à época das "luzes": o indígena das sociedades extraeuropeias não é mais o selvagem do século XVIII, tornou-se o *primitivo,* isto é, o ancestral do civilizado, destinado a reencontrá-lo. A colonização atuará nesse sentido. Assim a Antropologia, conhecimento do primitivo, fica indissociavelmente ligada ao conhecimento da *nossa origem,* isto é, das formas simples de organização social e de mentalidade que evoluíram para as formas mais complexas das nossas sociedades.

Procuremos ver mais de perto em que consiste o pensamento teórico dessa antropologia que se qualifica de *evolucionista.* Existe uma espécie humana idêntica, mas que se desenvolve (tanto em suas formas tecnoeconômicas como nos seus aspectos sociais e culturais) em ritmos desiguais, de acordo com as populações, passando pelas mesmas etapas, para alcançar o nível final que é o da "civilização". A partir disso, convém procurar determinar cientificamente a sequência dos estágios dessas transformações.

---

semi-civilisés) Le Rameau d'or (1981-1984). Uma correspondência intensa circula entre os pesquisadores e os novos residentes europeus que lhes mandam uma grande quantidade de informações e leem em seguida seus livros.

O evolucionismo encontrará sua formulação mais sistemática e mais elaborada na obra de Morgan[2] e particularmente em *Ancient society,* que se tornará o documento de referência adotado pela imensa maioria dos antropólogos do final do século XIX, bem como na lei de Haeckel. Enquanto para De Pauw ou Hegel as populações "não civilizadas" são aquelas que, além de se situarem enquanto espécies fora da História, não têm história em sua existência individual (não são crianças que se tornaram adultos atrasados, e sim crianças que permanecerão inexoravelmente crianças), Haeckel afirma rigorosamente o contrário: a ontogênese reproduz a filogênese; ou seja, o indivíduo atravessa as mesmas fases que a história das espécies. Disso decorre a identificação — absolutamente incontestada tanto pela primeira geração de marxistas quanto pelo fundador da psicanálise — dos povos primitivos aos vestígios da *infância da human*idade.[3]

O que é também muito característico dessa Antropologia do século XIX, que pretende ser científica, é a considerável atenção dada: 1) a essas populações que aparecem como sendo as mais "arcaicas" do mundo: os aborígines australianos, 2) ao estudo do "parentesco", 3) ao estudo da religião. Parentesco e religião são, nessa época, as duas grandes áreas da Antropologia, ou, mais especificamente, as duas vias de acesso privilegiadas ao conhecimento das sociedades não ocidentais; elas permanecem ainda, notamo-lo, os dois núcleos resistentes da pesquisa dos antropólogos contemporâneos.

---

2. Este último distingue três estágios de evolução da humanidade — selvageria, barbárie, civilização — cada um dividido em três períodos, em função notadamente do critério tecnológico.

3. Se o evolucionismo antropológico tende a aparecer hoje como a transposição ao nível das ciências humanas do evolucionismo biológico (*A origem das espécies,* de Darwin, 1859), que teria servido de justificação ao primeiro, notemos que o primeiro é bem anterior ao segundo. Vico elabora sua teoria das três idades (que anuncia Condorcet, Comte, Morgan, Frazer) no século XVIII, e Spencer, fundador da forma mais radical de evolucionismo sociológico, publica suas próprias teorias antes de ter lido *A origem das espécies.*

1) A Austrália ocupa um lugar de primeira importância na própria constituição da nossa disciplina (cf. Elkin, 1967), pois é lá que se pode apreender o que foi a origem absoluta das nossas próprias instituições.[4]

2) No estudo dos sistemas de *parentesco*, os pesquisadores dessa época procuram principalmente evidenciar a anterioridade histórica dos sistemas de filiação matrilinear sobre os sistemas patrilineares. Por deslize do pensamento, imagina-se um matriarcado primitivo, ideia que exerceu tal influência que ainda hoje alguns continuam inspirando-se nela [cf. em especial Evelyn Reed, *Feminismo e antropologia,* (trad. francesa 1979), um dos textos de referência do movimento feminista nos Estados Unidos].

3) A área dos *mitos,* da *magia* e da *religião* deterá mais nossa atenção, pois parece-nos reveladora ao mesmo tempo da abordagem e do espírito do evolucionismo. Notemos em primeiro lugar que a maioria dos antropólogos desse período, absolutamente confiantes na racionalidade científica triunfante, são não apenas agnósticos mas também deliberadamente antir-religiosos. Morgan, por exemplo, não hesita em escrever que

---

4. Desde a época de Morgan, a Austrália continuou sendo objeto de muitos escritos, com várias gerações de pesquisadores expressando literalmente sua estupefação diante da distorção entre a *simplicidade da cultura material* desses povos, os mais "primitivos" e mais "atrasados" do mundo, vivendo na Idade da Pedra *sem* metalurgia, *sem* cerâmica, *sem* tecelagem, *sem* criação de animais... e *a extrema complexidade de seus sistemas de parentesco* baseados sobre relações minuciosas entre aquilo que é localizado na natureza (animal, vegetal) e aquilo que atua na cultura: o "totemismo".
Quando Durkheim escreve *Les Formes élémentaires de la vie religieuse* (1912) baseia-se essencialmente sobre os dados colhidos na Austrália por Spencer e Gillen. Quando Roheim (trad. franc. 1967) decide refutar a hipótese colocada por Malinowski da inexistência do complexo de Édipo entre os primitivos, escolhe a Austrália como terreno de pesquisa. Poderíamos assim multiplicar os exemplos a respeito desse continente que exerceu (junto com os índios) um papel tão decisivo. Um papel decisivo inclusive, a meu ver, menos para compreender a origem da humanidade do que a da reflexão antropológica.

68   O TEMPO DOS PIONEIROS

"todas as religiões primitivas são grotescas e de alguma forma ininteligíveis", e Tylor deve parte de sua vocação a uma reação visceral contra o espiritualismo de seu meio. Mas é certamente o *Ramo de ouro,* de Frazer (trad. fr. 1981-1984),[5] que realiza a melhor síntese de todas as pesquisas do século XIX sobre as "crenças" e "superstições".

Nessa obra gigantesca, publicada em doze volumes, de 1890 a 1915, e que é uma das obras mais célebres de toda a literatura antropológica,[6] Frazer retraça o processo universal que conduz, por etapas sucessivas, da magia à religião, e depois, da religião à ciência. "A magia", escreve Frazer, "representa uma fase anterior, mais grosseira, da história do espírito humano, pela qual todas as raças da humanidade passaram, ou estão passando, para dirigir-se para a religião e a ciência". Essas crenças dos povos primitivos permitem compreender a origem das "sobrevivências" (termo forjado por Tylor) que continuam existindo nas sociedades civilizadas. Como Hegel, Frazer considera que a magia consiste num controle ilusório da natureza, que se constitui num obstáculo à razão. Mas, enquanto para Hegel, a primeira é um impasse total, Frazer a considera como religião em potencial, a qual dará lugar por sua vez à ciência que realizará (e está até começando a realizar) o que tinha sido imaginado no tempo da magia.

---

5. Frazer era, inclusive, mais reservado sobre o fenômeno religioso do que os dois autores anteriores, já que vê nele um fenômeno recente, fruto de uma evolução lenta e dizendo respeito a "espíritos superiores".

6. *Le Rameau d'or* é uma obra de referência como existem poucas em um século. É quanto a isso comparável à *Origem das espécies,* de Darwin. Exerceu uma influência considerável tanto sobre a filosofia de Bergson e a escola francesa de sociologia (Durkheim, Hubert Mauss...) quanto sobre o pensamento antropológico de Freud que, em *Totem e tabu,* retira grande parte de seus materiais etnográficos dessa obra que todo homem culto da época vitoriana tinha obrigação de conhecer. Quanto a seu autor, alcançou durante sua vida uma glória não apenas britânica, mas internacional, que muito poucos etnólogos — fora Malinowski, Margaret Mead e Lévi-Strauss — conheceram.

APRENDER ANTROPOLOGIA

* * *

O pensamento evolucionista aparece, da forma como podemos vê-lo hoje, como sendo ao mesmo tempo dos mais simples e dos mais suspeitos, e as objeções de que foi objeto podem organizar-se em torno de duas séries de críticas:

1) mede-se a importância do "atraso"das outras sociedades destinadas, ou melhor, compelidas a alcançar o pelotão da frente, em relação aos únicos critérios do Ocidente do século XIX, o progresso técnico e econômico da nossa sociedade sendo considerado como a prova brilhante da evolução histórica da qual procura-se simultaneamente acelerar o processo e reconstituir os estágios. Ou seja, o "arcaísmo" ou a "primitividade" são menos fases da História do que a vertente simétrica e inversa da modernidade do Ocidente, o qual define o acesso entusiasmante à civilização em função dos valores da época: produção econômica, religião monoteísta, propriedade privada, família monogâmica, moral vitoriana,

2) para o pesquisador, efetuando de um lado a definição de seu objeto de pesquisa através do campo empírico das sociedades ainda não ocidentalizadas, e, de outro, identificando-se às vantagens da civilização à qual pertence, o evolucionismo aparece logo como a *justificação teórica de uma prática:* o *colonialismo.* Livingstone, missionário que, enquanto branco, isto é, civilizado, não dissocia os benefícios da técnica e os da religião, pode exclamar: "Viemos entre eles enquanto membros de uma raça superior e servidores de um governo que deseja elevar as partes mais degradadas da família humana".

A antropologia evolucionista, cujas ambições nos parecem hoje desmedidas, não hesita em esboçar em grandes traços afrescos imponentes, através dos quais afirma com arrogância julgamentos de valores sem contestação possível. A convicção da marcha triunfante do progresso é tal que, juntando e interpretando fatos provenientes do mundo inteiro (à luz justamente

70 O TEMPO DOS PIONEIROS

dessa hipótese central), julga-se que será possível extrair as leis universais do desenvolvimento da humanidade. Assim, encontramo-nos frente a reconstituições conjunturais que têm, pelo volume dos fatos relatados, a aparência de um *corpus* científico, mas assemelham-se muito, na realidade, à filosofia do século anterior, a qual não tinha porém a preocupação de fundamentar sua reflexão na documentação enorme que será pela primeira vez reunida pelos homens do século XIX.

Essa preocupação de um saber cumulativo visa na realidade demonstrar a veracidade de uma tese mais do que verificar uma hipótese, os exemplos etnográficos sendo frequentemente mobilizados apenas para *ilustrar* o processo grandioso que conduz as sociedades primitivas a se tornarem sociedades civilizadas. Assim, esmagados sob o peso dos materiais, os evolucionistas consideram os fenômenos recolhidos (o totemismo, a exogamia, a magia, o culto aos antepassados, a filiação matrilinear...) como costumes que servem para exemplificar cada estágio. E quando faltam documentos, alguns (Frazer) fazem por intuição a reconstituição dos elos ausentes; procedimento absolutamente oposto, como veremos mais adiante, ao da etnografia contemporânea, que procura, por meio da introdução de fatos minúsculos recolhidos em uma única sociedade, analisar a significação e a função das *relações sociais*.

Isso colocado, é fácil — e até irrisório — desacreditar hoje *todo* o trabalho que foi realizado pelos pesquisadores — eruditos da época evolucionista.[7] Não custa muito denunciar o etnocentrismo que eles demonstraram em relação aos "povos

---

7. Da mesma forma que é fácil reduzir *toda* essa época ao evolucionismo (a respeito do qual convém notar que foi muito mais praticado na Grã-Bretanha e nos Estados Unidos do que nos outros países). Bastian, por exemplo, insiste sobre a especificidade de cada cultura irredutível ao seu lugar na história do desenvolvimento da humanidade. Ratzel abre caminho para o que será chamado de difusionismo. Tylor desconfia dos modelos de interpretação simples e unívocos do social e anuncia claramente a substituição da noção de função à causa. No entanto, a teoria da evolução é nessa época amplamente dominante, pelo menos até o final

atrasados", evidenciando assim também um singular espírito a-histórico — e etnocentrista — em relação a eles, sendo que provavelmente, sem essa teoria, empenhada em mostrar as etapas do movimento da humanidade (teoria que deve ser ela própria considerada como uma etapa do pensamento sociológico), a antropologia no sentido no qual a praticamos hoje nunca teria nascido.

Claro, nessa época o antropólogo raramente recolhe ele próprio os materiais que estuda e, quando realiza um trabalho de coleta direta,[8] é antes no decorrer de uma expedição que visa trazer informações, do que de estadias que tenham por objetivo o de impregnar-se das categorias mentais dos outros. O que importa nessa época não é de forma alguma a problemática de etnografia enquanto prática *intensiva* de conhecimento de uma determinada cultura, mas a tentativa de compreensão, a mais *extensa* possível no tempo e no espaço, de todas as culturas, em especial das "mais longínquas"e das "mais desconhecidas", como diz Tylor.

Não poderíamos finalmente criticar esses pesquisadores da segunda metade do século XIX por não terem sido especialistas no sentido atual da palavra (especialistas de uma pequena parte de uma área geográfica ou de uma microdisciplina de um eixo temático). Eles se recusavam a atuar dessa forma, julgando que observadores conscienciosos, guiados a distância por cientistas preocupados em criticar fontes, eram capazes de recolher todos os materiais necessários, e sobretudo considerando implicitamente que a antropologia tinha *tarefas mais urgentes a realizar* do que um estudo particular em tal ou tal sociedade. De

---

do século, a partir do qual começa a mostrar (com Frazer) os primeiros sinais de esgotamento.

8. As pesquisas de primeira mão estão longe de serem ausentes nessa época na qual todos os antropólogos não são apenas pesquisadores indo de seu gabinete de trabalho à biblioteca. Em 1851, Morgan publica as observações colhidas no decorrer de uma viagem realizada por ele entre os Iroqueses. Alguns anos mais tarde, Bastian realiza uma pesquisa no Congo, e Tylor, no México.

fato, eles não tinham nenhuma formação antropológica (Maine, MacLennan, Bachofen e Morgan são juristas; Bastian é médico; Ratzel, geógrafo), mas como poderíamos criticá-los por isso, já que eles foram precisamente os fundadores de uma disciplina que não existia antes deles?

Em suma, o que me parece eminentemente característico desse período é a intensidade do trabalho que realizou, bem como sua imensa curiosidade. Durante o século XIX, assistimos à criação das sociedades científicas de etnologia, das primeiras cadeiras universitárias, e, sobretudo, dos museus como o que foi fundado no palácio do Trocadero em 1879 e que se tornará o atual Museu do Homem. É até difícil imaginar hoje em dia a abrangência dos conhecimentos dos principais representantes do evolucionismo. Tylor possuía um conhecimento perfeito tanto da pré-história da linguística, quanto do que chamaríamos hoje de "antropologia social e cultural" do seu tempo. Ele dedicava os mesmos esforços ao estudo das áreas da tecnologia, do parentesco ou da religião. Frazer, em contato epistolar permanente com centenas de observadores morando nos quatro cantos do mundo, trabalhou doze horas por dia durante sessenta anos, dentro de uma biblioteca de 30 mil volumes. A obra que ele próprio produziu estende-se, como diz Leach (1980), em quase dois metros de estantes.

Através dessa atividade extrema, esses homens do século passado colocavam o problema maior da antropologia: explicar a *universalidade e a diversidade* das técnicas, das instituições, dos comportamentos e das crenças, *comparar* as práticas sociais de populações infinitamente distantes uma das outras tanto no espaço como no tempo. Seu mérito é de ter extraído (mesmo se o fizeram com dogmatismo, mesmo se suas convicções fossem mais passionais do que racionais) essa hipótese mestra sem a qual não haveria antropologia, mas apenas etnologias regionais: *a unidade da espécie humana,* ou, como escreve Morgan, da "família humana". Pode-se sorrir hoje diante dessa visão grandiosa do mundo, baseada na noção de uma humanidade integrada, dentro da qual concorrem em graus diferentes, mas para chegar a um mesmo nível final, as diversas populações do globo. Mas são eles que mostraram pela primeira vez que as disparidades culturais entre os grupos humanos não eram de forma alguma a consequência de predisposições congênitas, mas apenas o resultado de situações técnicas e econômicas. Assim, uma das características principais do evolucionismo — será que isso foi suficientemente destacado? — é o seu antirracismo.

Até Morgan (eu teria vontade de dizer *sobretudo* Morgan) não tem a rigidez doutrinal que lhe é retroativamente atribuída. Com ele, o objeto da antropologia passa a ser a análise dos processos de evolução que são os das *ligações* entre as relações sociais, jurídicas, políticas... a ligação entre esses diferentes aspectos do campo social sendo em si característica de um determinado período da história humana. A novidade radical da *sociedade arcaica* é dupla.

1) Essa obra toma como objeto de estudo fenômenos que até então não diziam respeito à História, a qual, para Hegel, só podia ser escrita. Qualificando essas sociedades de "arcaicas", Morgan as reintegra pela primeira vez na humanidade inteira; e como destaque sendo colocado sobre o desenvolvimento material, o conhecimento da história começa a ser posto sobre bases totalmente diferentes das do idealismo filosófico.

2) Os elementos da análise comparativa não são mais, a partir de Morgan, costumes considerados bizarros, e sim redes de interação formando "sistemas", termo que o antropólogo americano utiliza para as relações de parentesco.[9]

---

9. Por essas duas razões, compreende-se qual será a influência de Morgan sobre o marxismo, e particularmente sobre Engels (1954).

Não há, como mostrou Kuhn (1983), conhecimento científico possível sem que se constitua uma *teoria* servindo de "paradigma", isto é, de modelo organizador do saber, e a teoria da evolução teve incontestavelmente, no caso, um papel decisivo. Foi ela que deu seu impulso à antropologia. O paradoxo (aparente, pois o conhecimento científico se dá sempre mais por descontinuidades teóricas do que por acumulação), é que a antropologia só se tornará científica (no sentido que entendemos) introduzindo uma *ruptura* em relação a esse modo de pensamento que lhe havia no entanto aberto o caminho. É o que examinaremos agora.

4. OS PAIS FUNDADORES DA ETNOGRAFIA
Boas e Malinowski

Se existiam no final do século XIX homens (geralmente missionários e administradores) que possuíam um excelente conhecimento das populações no meio das quais viviam — é o caso de Codrington, que publica em 1891 uma obra sobre os melanésios; de Spencer e Gillen, que relatam em 1899 suas observações sobre os aborígenes australianos; ou de Junod, que escreve *A vida de uma tribo sul-africana* (1898) — a etnografia propriamente dita só começa a existir a partir do momento no qual se percebe que *o pesquisador deve ele mesmo efetuar no campo* sua própria pesquisa, e que esse trabalho de observação direta é parte integrante da pesquisa.

A revolução que ocorrerá na nossa disciplina durante o *primeiro terço* do século XX é considerável: ela põe fim à repartição das tarefas, até então habitualmente divididas entre o observador (viajante, missionário, administrador), entregue ao papel subalterno de provedor de informações, e o pesquisador erudito, que, tendo permanecido na metrópole, recebe, analisa e interpreta — atividade nobre! — essas informações. O pesquisador compreende a partir desse momento que ele deve deixar seu gabinete de trabalho para compartilhar a intimidade dos que devem ser considerados não mais como informadores a serem questionados, e sim como anfitriões que o recebem e mestres que o ensinam. Ele aprende então, como aluno atento, não apenas a viver entre eles, mas a viver como eles, a falar sua língua e a pensar nessa língua, a sentir suas próprias emoções dentro dele mesmo. Trata-se, como podemos ver, de condições de estudo radicalmente diferentes das que conheciam o viajante do século XVIII e até o missionário ou o administrador do século XIX, residindo geralmente fora da sociedade indígena e obtendo informações por intermédio de tradutores e informadores: este último termo merece ser repetido. Em suma, a antropologia se torna pela primeira vez uma atividade *ao ar livre,* levada como diz Malinowski, "ao vivo", em uma "natureza imensa, virgem e aberta".

Esse trabalho de campo, como o chamamos ainda hoje, longe de ser visto como um modo de conhecimento secundário servindo para ilustrar uma tese, é considerado como a própria fonte de pesquisa. Orientou a partir desse momento a abordagem da nova geração de etnólogos que, desde os primeiros anos do século XX, realizou estadias prolongadas entre as populações do mundo inteiro. Em 1906 e 1908, Radcliffe-Brown estuda os habitantes das ilhas Andaman. Em 1909 e 1910, Seligman dirige uma missão no Sudão. Alguns anos mais tarde, Malinowski volta para a Grã-Bretanha, impregnado do pensamento e dos sistemas de valores que lhe revelou a população de um minúsculo arquipélago melanésio. A partir daí, as missões de pesquisas etnográficas e a publicação das obras que delas resultam se seguem em um ritmo ininterrupto. Em 1901, Rivers, um dos fundadores da antropologia inglesa, estuda os Toda da Índia; após a Primeira Guerra Mundial, Evans-Pritchard estuda os Azandé (trad. franc. 1972) e os Nuer (trad. franc. 1968); Nadel, os Nupe da Nigéria; Fortes, os Tallensi; Margaret Mead, os insulares da Nova Guiné etc.

Como não é possível examinar, dentro dos limites deste trabalho, a contribuição desses diferentes pesquisadores na elaboração da etnografia e da etnologia contemporânea, dois entre eles, a meu ver os mais importantes, deterão nossa atenção: um americano de origem alemã: Franz Boas; o outro, polonês naturalizado inglês: Bronislaw Malinowski.

BOAS (1858-1942)

Com ele assistimos a uma verdadeira virada da prática antropológica. Boas era antes de tudo um homem de campo. Suas pesquisas, totalmente pioneiras, iniciadas, notamo-lo, a partir dos últimos anos do século XIX (em particular entre os Kwakiutl e os Chinook de Colúmbia Britânica), eram conduzidas de um ponto de vista que hoje qualificaríamos de microssociológico. No campo, ensina Boas, *tudo* deve ser anotado: desde os materiais constitutivos das casas até as notas das melodias cantadas pelos Esquimós, e isso detalhadamente, e no detalhe do detalhe. Tudo deve ser objeto da descrição mais meticulosa, da retranscrição mais fiel (por exemplo, as diferentes versões de um mito, ou diversos ingredientes entrando na composição de um alimento).

Desse modo, enquanto raramente antes dele as sociedades tinham sido realmente consideradas em si e para si mesmas, cada uma dentre elas, após Boas, adquire o estatuto de uma totalidade autônoma. O primeiro a formular com seus colaboradores (Cf. em particular Lowie, 1971) a crítica mais radical e mais elaborada das noções de origem e de reconstituição dos estágios,[1] ele mostra que um costume só tem significação se for relaciona-

---

1. Dessa crítica Radcliffe-Brown e Malinowski tirarão consequências teóricas: não é possível opor sociedades "simples" e sociedades "complexas", sociedades "inferiores" evoluindo para o "superior", sociedades "primitivas" a caminho da "civilização". As primeiras não são as formas de organizações originais das quais as segundas teriam derivado.

do ao contexto particular no qual se inscreve. Claro, Morgan e, muito antes dele, Montesquieu tinham aberto o caminho a essa pesquisa cujo objeto é a totalidade das relações sociais e dos elementos que as constituem. Mas a diferença é que, a partir de Boas, estima-se que para compreender o lugar particular ocupado por esse costume não se pode mais confiar nos investigadores e muito menos nos que, da "metrópole", confiam neles. Apenas o antropólogo pode elaborar uma *monografia,* isto é, dar conta cientificamente de uma microssociedade, apreendida em sua totalidade e considerada em sua *autonomia teórica.* Pela primeira vez, o teórico e o observador estão finalmente reunidos. Assistimos ao nascimento de uma verdadeira etnografia profissional que não se contenta mais em coletar materiais à maneira dos antiquários, mas procura detectar o que faz a unidade da cultura que se expressa através desses diferentes materiais.

Por outro lado, Boas considera, e isso muito antes de Griaule, do qual falaremos mais adiante, que não há objeto nobre nem objeto indigno da ciência. As piadas de um contador são tão importantes quanto a mitologia que expressa o patrimônio metafísico do grupo. Em especial, a maneira pela qual as sociedades tradicionais, na voz dos mais humildes entre eles, classificam suas atividades mentais e sociais, deve ser levada em consideração. Boas anuncia assim a constituição do que hoje chamamos de "etnociências".

Finalmente, ele foi um dos primeiros a nos mostrar não apenas a importância, mas também a necessidade, para o etnólogo, do acesso à língua da cultura na qual trabalha. As tradições que estuda não poderiam ser-lhe traduzidas. Ele próprio deve recolhê-las na língua de seus interlocutores.[2]

Pode parecer surpreendente, levando em conta o que foi dito, que Boas, exceto entre os profissionais da antropologia, seja praticamente desconhecido. Isso se deve principalmente a duas razões:

---

2. Sobre a relação da cultura, da língua e do etnólogo, cf. particularmente, após Boas, Sapir (1967) e Leenhardt (1946).

APRENDER ANTROPOLOGIA   79

1) multiplicando as comunicações e os artigos, ele nunca escreveu nenhum livro destinado ao público erudito, e os textos que nos deixou são de uma concisão e de um rigor ascéticos.

Nada que anuncie, por exemplo, a emoção que se pode sentir (como veremos logo) na leitura de um Malinowski; ou que lembre o charme ultrapassado da prosa enfeitada de um Frazer;

2) nunca formulou uma verdadeira teoria, tão estranho era-lhe o espírito de sistema; e a generalização apressada parecia-lhe o que há de mais distante do espírito científico. Às ambições dos primeiros tempos — quero falar dos afrescos gigantescos do século XIX, que retratam os primórdios da humanidade mas expressam simultaneamente os primórdios da antropologia, isto é, uma antropologia principiante — sucedem, com ele, a modéstia e a sobriedade da maturidade.

De qualquer modo, a influência de Boas foi considerável. Foi um dos primeiros etnógrafos. À sua preocupação de precisão na descrição dos fatos observados, acrescentava-se a de conservação metódica do patrimônio recolhido (foi conservador do museu de Nova York). Finalmente, foi, enquanto professor, o grande pedagogo que formou a primeira geração de antropólogos americanos (Kroeber, Lowie, Sapir, Herskovitz, Linton... e, em seguida, R. Benedict, M. Mead). Ele permanece sendo o mestre incontestado da antropologia americana na primeira metade do século XX.

MALINOWSKI (1884-1942)

Malinowski dominou incontestavelmente a cena antropológica, de 1922, ano de publicação de sua primeira obra, *Os argonautas do Pacífico Ocidental,* até sua morte, em 1942.

1) Se não foi o primeiro a conduzir cientificamente uma experiência etnográfica, isto é, em primeiro lugar, a viver com

80 OS PAIS FUNDADORES DA ETNOGRAFIA

as populações que estudava e a recolher seus materiais de seus idiomas, radicalizou essa compreensão por dentro e, para isso, procurou romper ao máximo os contatos com o mundo europeu.

Ninguém antes dele tinha se esforçado em penetrar tanto, como ele fez no decorrer de duas estadias sucessivas nas ilhas Trobriand, na mentalidade dos outros, e em compreender de dentro, por uma verdadeira busca de despersonalização, o que sentem os homens e as mulheres que pertencem a uma cultura que não é nossa. Boas procurava estabelecer repertórios exaustivos, e muitos entre seus seguidores nos Estados Unidos (Kroeber, Murdock...) procuraram definir correlações entre o maior número possível de variáveis. Malinowski considera esse trabalho uma aberração. Convém, pelo contrário, segundo ele, conforme o primeiro exemplo que dá em seu primeiro livro, mostrar que a partir de um único costume, ou mesmo de um único objeto (por exemplo, a canoa trobriandesa — voltaremos a isso) aparentemente muito simples, aparece o perfil do conjunto de uma sociedade.

2) Instaurando uma ruptura com a história conjetural (a reconstituição especulativa dos estágios), e também com a geografia especulativa (a teoria difusionista, que tende, no início do século, a ocupar o lugar do evolucionismo, e postula a existência de centros de difusão da cultura, a qual se transmite por empréstimos), Malinowski considera que uma sociedade deve ser estudada enquanto uma totalidade, tal como funciona *no momento mesmo onde a observamos.* Medimos o caminho percorrido desde Frazer, que foi no entanto o mestre de Malinowski. Quando perguntado ao primeiro por que ele próprio não ia observar as sociedades a partir das quais tinha construído sua obra, respondia: "Deus me livre!". *Os argonautas do Pacífico Ocidental,* embora tenha sido editado alguns anos apenas após o fim da publicação de *O ramo de ouro,* com um prefácio, notamo-lo, do próprio Frazer, adota uma abordagem rigorosamente inversa: analisar de uma forma intensiva e contínua uma microssocieda-

de sem referir-se a sua história. Enquanto Frazer procurava responder à pergunta: "Como nossa sociedade chegou a se tornar o que é?", e respondia escrevendo essa "obra épica da humanidade" que é *O ramo de ouro,* Malinowski se pergunta o que é uma sociedade dada em si mesma e o que a torna viável para os que a ela pertencem, observando-a no presente através da interação dos aspectos que a constituem.

Com Malinowski, a antropologia se torna uma "ciência" da alteridade que vira as costas ao empreendimento evolucionista de reconstituição das origens da civilização, e se dedica ao estudo das lógicas particulares características de cada cultura. O que o leitor aprende ao ler *Os argonautas* é que os costumes dos Trobriandeses, tão profundamente diferentes dos nossos, têm uma significação e uma coerência. Não são puerilidades que testemunham de alguns vestígios da humanidade, e sim sistemas lógicos perfeitamente elaborados. Hoje, todos os etnólogos estão convencidos de que as sociedades diferentes da nossa são sociedades humanas tanto quanto a nossa, que os homens e mulheres que nelas vivem são adultos que se comportam diferentemente de nós, e não "primitivos", autômatos atrasados (em todos os sentidos do termo) que pararam em uma época distante e vivem presos a tradições estúpidas. Mas nos anos de 1920 isso era particularmente revolucionário.

3) A fim de pensar essa coerência interna, Malinowski elabora uma teoria (o *funcionalismo)* que tira seu modelo das ciências da natureza: o indivíduo sente um certo número de necessidades, e cada cultura tem precisamente como função a de satisfazer à sua maneira essas necessidades fundamentais. Cada uma realiza isso elaborando instituições (econômicas, políticas, jurídicas, educativas...), fornecendo respostas coletivas organizadas, que constituem, cada uma a seu modo, soluções originais que permitem atender a essas necessidades.

4) Uma outra característica do pensamento do autor de *Os argonautas* é, ao nosso ver, sua preocupação em abrir as

fronteiras disciplinares, devendo o homem ser estudado através da tripla articulação do social, do psicológico e do biológico. Convém em primeiro lugar, para Malinowski, localizar a relação estreita do social e do biológico; o que decorre do ponto anterior, já que, para ele, se uma sociedade funcionando como um organismo, as relações biológicas devem ser consideradas não apenas como o modelo epistemológico que permite pensar as relações sociais, e sim como o seu próprio fundamento. Além disso, uma verdadeira ciência da sociedade implica, ou melhor, inclui o estudo das motivações psicológicas, dos comportamentos, o estudo dos sonhos e dos desejos do indivíduo.[3] E Malinowski, quanto a esse aspecto (que o separa radicalmente, como veremos, de Durkheim), vai muito além da análise da afetividade de seus interlocutores. Ele procura reviver nele próprio os sentimentos dos outros, fazendo da *observação participante* uma participação psicológica do pesquisador, que deve "compreender e compartilhar os sentimentos" destes últimos "interiorizando suas reações emotivas".

* * *

O fato de a obra (e a própria personalidade) de Malinowski ter sido provavelmente a mais controvertida de toda a história da antropologia (isso inclusive quando era vivo) se deve a duas razões, ligadas ao caráter sistemático de sua reação ao evolucionismo.

1) Os antropólogos da época vitoriana identificavam-se totalmente com a sua sociedade, isto é, com a "civilização industrial", considerada como "a civilização" *tout court,* e com seus benefícios. Em relação a esta, os costumes dos povos "primiti-

---

3. É essa vontade de alcançar o homem em todas as suas dimensões, e notadamente, de não dissociar o grupo do indivíduo, que faz com que seja um dos primeiros etnólogos a interessar-se pelas obras de Freud. Mas devemos reconhecer que ele demonstra uma grande incompreensão da psicanálise.

vos" eram vistos como aberrantes. Malinowski inverte essa relação: a antropologia supõe uma identificação (ou, pelo menos, uma busca de identificação) com a alteridade, não mais considerada como forma social anterior à civilização, e sim como forma contemporânea mostrando-nos em sua pureza aquilo que nos faz tragicamente falta: a autenticidade. Assim sendo, a aberração não está mais do lado das sociedades "primitivas" e sim do lado da sociedade ocidental (cf. pp. 50-51 deste livro os comentários de Malinowski, que retomam o tema da idealização do selvagem).

2) Convencido de ser o fundador da antropologia *científica* moderna (o que, ao meu ver, não é totalmente falso, pois o que fez a partir dos anos de 1920 é essencial), ele elabora — sobretudo durante a última parte de sua vida — uma teoria de uma extrema rigidez, que contribuiu, em grande parte, para o descrédito do qual ele ainda é objeto: o "funcionalismo". Nesta perspectiva, as sociedades tradicionais são sociedades estáveis e sem conflitos, visando naturalmente a um equilíbrio através de instituições capazes de satisfazer às necessidades dos homens. Essa compreensão naturalista e marcadamente otimista de uma totalidade cultural integrada, que postula que toda sociedade é tão boa quanto pode ser, pois suas instituições estão aí para satisfazer a todas as necessidades, defronta-se com duas grandes dificuldades: como explicar a mudança social? Como dar conta do disfuncionamento e da patologia cultural?

A partir de sua própria experiência — limitada a um minúsculo arquipélago que permanece, no início do século, relativamente afastado dos contatos interculturais — , Malinowski, baseando-se no modelo do finalismo biológico, estabelece generalizações sistemáticas que não hesita em chamar de "leis científicas da sociedade". Além disso, esse funcionalismo "científico" não tem relação com a realidade da situação colonial dos anos de 1920, situação essa, totalmente ocultada. A antropologia vitoriana era a justificação do período da conquista colonial. O discurso monográfico e a-histórico do funcionalismo passa a ser a justificação de uma nova fase do colonialismo.

* * *

Apesar disso, além das críticas que o próprio Malinowski contribuiu em provocar, tudo o que devemos a ele permanece ainda hoje considerável.

1) Compreendendo que o único modo de conhecimento em profundidade dos outros é a participação em sua existência, ele inventa literalmente, e é o primeiro a pôr em prática, a *observação participante,* dando-nos o exemplo do que deve ser o estudo intensivo de uma sociedade que nos é estranha. O fato de efetuar uma estadia de longa duração impregnando-se da mentalidade de seus anfitriões e esforçando-se para pensar em sua própria língua pode parecer banal hoje. Não o era durante os anos 1914-1920 na Inglaterra, e muito menos na França. Malinowski nos ensinou a *olhar.* Deu-nos o exemplo daquilo que devia ser uma pesquisa de campo, que não tem mais nada a ver com a atividade do "investigador" questionando "informadores".

2) Em *Os argonautas do Pacífico Ocidental,* pela primeira vez o social deixa de ser anedótico, curiosidade exótica, descrição moralizante ou coleção exaustiva erudita. Pois, para alcançar o homem em todas as suas dimensões, é preciso dedicar-se à observação de fatos sociais aparentemente minúsculos e insignificantes, cuja significação só pode ser encontrada nas suas posições respectivas no interior de uma totalidade mais ampla. Assim, as canoas trobriandesas (das quais falamos acima) são descritas em relação ao grupo que as fabrica e utiliza, ao ritual mágico que as consagra, às regulamentações que definem sua posse etc. Algumas transportando de ilha em ilha colares de conchas vermelhas outras, pulseiras de conchas brancas, efetuando em sentidos contrários percursos invariáveis, passando necessariamente de novo por seu local de origem, a partir disso

APRENDER ANTROPOLOGIA 85

Malinowski mostra que estamos frente a um processo de troca generalizado, irredutível à dimensão econômica apenas, pois nos permite encontrar os significados políticos, mágicos, religiosos, estéticos do grupo inteiro.

Os jardins de coral, o segundo grande livro de Malinowski, trabalha com a mesma abordagem. Esse "estudo dos métodos agrícolas e dos ritos agrários nas ilhas Trobriand", longe de ser uma pesquisa especializada sobre um fenômeno agronômico dado, mostra que a agricultura dos Trobriandeses inscreve-se na totalidade social desse povo, e toca em muitos outros aspectos que não a agricultura.

3) Finalmente, uma das grandes qualidades de Malinowski é sua faculdade de *restituição* da existência desses homens e dessas mulheres que puderam ser conhecidos apenas através de uma *relação* e de uma *experiência* pessoais. Mesmo quando estuda instituições, estas não são nunca vistas como abstrações reguladoras da vida de atores anônimos. Seja em *Os argonautas* ou *Os jardins de coral,* ele faz reviver para nós esse povo trobriandês que não poderemos nunca mais confundir com outras populações "selvagens". O homem nunca desaparece em proveito do sistema. Ora, essa exigência de conduzir um projeto científico sem renunciar à sensibilidade artística chama-se etnologia. Malinowski ensinou a muitos entre nós não apenas a olhar, mas a escrever, restituindo às cenas da vida cotidiana seu relevo e sua cor. Quanto a isso, *Os argonautas* me parece exemplar. É um livro escrito num estilo magnífico que aproxima seu autor de um outro polonês que, como ele, viveu na Inglaterra, expressando-se em inglês: Joseph Conrad, e que anuncia as mais bonitas páginas de *Tristes trópicos,* de Lévi-Strauss.

A antropologia contemporânea é frequentemente ameaçada pela abstração e sofisticação dos protocolos, podendo, como mostrou Devereux (1980), ir até a destruição do objeto que pretendia estudar, e, conjuntamente, da especificidade da nossa disciplina. "Um historiador", escreve Firth, "pode ser surdo, um jurista pode ser cego, um filósofo pode a rigor ser surdo e cego, mas é preciso que o antropólogo entenda o que as pessoas dizem e veja o que fazem". Ora, a grande força de Malinowski foi ter conseguido fazer ver e ouvir aos seus leitores aquilo que ele mesmo tinha visto, ouvido, sentido. *Os argonautas do Pacífico Ocidental*, publicado com fotografias tiradas a partir de 1914 por seu autor, abre o caminho daquilo que se tornará a antropologia audiovisual.[4]

---

4. Sobre a obra de Malinowski, consultar o trabalho de Michel Panoss, 1972.

5. OS PRIMEIROS TEÓRICOS DA ANTROPOLOGIA
Durkheim e Mauss

Boas e Malinowski, nos anos que antecederam a Primeira Guerra Mundial, fundaram a etnografia. Mas o primeiro, recolhendo com a precisão de um naturalista os fatos no campo, não era um teórico. Quanto ao segundo, a parte teórica de suas pesquisas é provavelmente, como acabamos de ver, o que há de mais contestável em sua obra. A antropologia precisava ainda elaborar instrumentos operacionais que permitissem construir um verdadeiro objeto científico. É precisamente nisso que se empenharam os pesquisadores franceses daquela época, que pertenciam à chamada "escola francesa de sociologia". Se existe uma autonomia do social, ela exige, para alcançar sua elaboração científica, a constituição de um quadro teórico, de conceitos e modelos que sejam próprios da investigação do social, isto é, independentes tanto da explicação histórica (evolucionismo) ou geográfica (difusionismo), quanto da explicação biológica (o funcionalismo de Malinowski) ou psicológica (a psicologia clássica e a psicanálise iniciante).

Ora, convém notar desde já — e isso terá consequências essenciais para o desenvolvimento contemporâneo de nossa dis-

88 OS PRIMEIROS TEÓRICOS DA ANTROPOLOGIA

ciplina — que não são de forma alguma etnólogos de campo, mas sim *filósofos e sociólogos* — Durkheim e Mauss, de quem falaremos agora — que forneceram à antropologia o quadro teórico e os instrumentos que lhe faltavam ainda.

Durkheim, nascido em 1858, no mesmo ano que Boas, mostrou em suas primeiras pesquisas preocupações muito distantes das da etnologia, e mais ainda da etnografia. Em *As regras do método sociológico* (1894), ele opõe a "precisão" da história à "confusão" da etnografia, e se dá como objeto de estudo "as sociedades cujas crenças, tradições, hábitos, direito, incorporaram-se em *movimentos escritos e autênticos"*. Mas, em *As formas elementares da vida religiosa* (1912), ele revisa seu julgamento, considerando que é não apenas importante, mas também necessário estender o campo de investigação da sociologia aos materiais recolhidos pelos etnólogos nas sociedades primitivas.

Sua preocupação maior é mostrar que existe uma especificidade do social, e que convém consequentemente emancipar a sociologia, ciência dos fenômenos sociais, dos outros discursos sobre o homem, e, em especial, do da psicologia. Se não nega que a ciência possa progredir em seus próprios domínios, considera que na sua época é vantajoso para cada disciplina avançar separadamente e construir seu próprio objeto. "A causa determinante de um fato social deve ser buscada nos fatos sociais anteriores e não nos estados da consciência individual." Durkheim não procura de forma alguma questionar a existência, nem a pertinência da psicologia. Mas opõe-se às explicações psicológicas do social (sempre "falsas", segundo sua expressão). Assim, por exemplo, a questão da relação do homem com o sagrado não poderia ser abordada psicologicamente estudando os estados afetivos dos indivíduos, nem mesmo através de alguma psicologia "coletiva". Da mesma forma que a linguagem, também fenômeno coletivo, não poderia encontrar sua explicação na psicologia dos que a falam, e sendo absolutamente independente da criança que a aprende, é-lhe exterior, precede a e continuará existindo muito tempo depois de sua morte.

Essa irredutibilidade do social aos indivíduos (que é a pedra-de-toque de qualquer abordagem sociológica) tem para Durkheim a seguinte consequência: os fatos sociais são "coisas" que só podem ser explicadas sendo relacionadas a outros fatos sociais. Assim, a sociologia conquista pela primeira vez sua autonomia ao constituir um objeto que lhe é próximo, por assim dizer arrancado ao monopólio das explicações históricas, geográficas, psicológicas, biológicas... da época.

Esse pensamento durkheimiano — que, observamos, é tão funcionalista quanto o de Malinowski, mas não deve nada ao modelo biológico — vai, por meio de suas novas exigências metodológicas, renovar profundamente a epistemologia das ciências humanas da primeira metade do século XX, ou, mais exatamente, das *ciências sociais* destinadas a se separar destas. Vai exercer uma influência considerável sobre a pesquisa antropológica, particularmente na Inglaterra e evidentemente na França, o país de Durkheim, onde, ainda hoje, nossa disciplina não se emancipou realmente da sociologia.

Marcel Mauss (1872-1950) nasceu, como Durkheim, em Epinal, quatorze anos após este, de quem é sobrinho. Suas contribuições teóricas respectivas na constituição da antropologia moderna são ao mesmo tempo muito próximas e muito diferentes. Se Mauss faz, tanto quanto Durkheim, questão de fundar a autonomia do social, separa-se muito rapidamente do autor de *As regras do método sociológico* a respeito de dois pontos essenciais: o estatuto que convém atribuir à antropologia, e uma exigência epistemológica que hoje qualificaríamos de pluridisciplinar.

Durkheim considerava os dados recolhidos pelos etnólogos nas sociedades "primitivas" sob o ângulo exclusivo da sociologia, da qual a etnologia (ou antropologia) era destinada a se tornar um ramo. Mauss vai trabalhar incansavelmente, durante toda sua vida (com Paul Rivet), para que esta seja reconhecida como uma ciência verdadeira, e não como uma disciplina anexa. Em 1924, escreve que "o lugar da sociologia" está "na antropologia" e não o inverso.

Um dos conceitos maiores forjados por Marcel Mauss é o do *fenômeno social total,* consistindo na integração dos diferentes aspectos (biológico, econômico, jurídico, histórico, religioso, estético...) constitutivos de uma dada realidade social que convém apreender em sua integralidade. "Após ter forçosamente dividido um pouco exageradamente", escreve ele, "é preciso que os sociológos se esforcem em recompor o todo." Ora, prossegue Mauss, os fenômenos sociais são "antes sociais, mas também conjuntamente e ao mesmo tempo fisiológicos e psicológicos". Ou ainda: "O simples estudo desse fragmento de nossa vida que é nossa vida em sociedade não basta". Não se pode, ainda, afirmar que todo fenômeno social é também um fenômeno mental, da mesma forma que todo fenômeno mental é também um fenômeno social, devendo as condutas humanas ser apreendidas em *todas* as suas dimensões, e particularmente em suas dimensões sociológica, histórica e psicofisiológica.

Assim, essa "totalidade folhada", segundo a palavra de Lévi-Strauss, comentador de Mauss (1960), isto é, "formada de uma multiplicidade de planos distintos", só pode ser apreendida na experiência dos indivíduos". Devemos, escreve Mauss, "observar o comportamento de seres totais, e não divididos em faculdades". E a única garantia que podemos ter de que um fenômeno social corresponda à realidade da qual procuramos dar conta é que possa ser apreendido na experiência concreta de um ser humano, naquilo que tem de único:

> O que é verdadeiro não é a oração ou o direito, e sim o melanésio de tal ou tal ilha.

Não podemos portanto alcançar o sentido e a função de uma instituição se não formos capazes de reviver sua incidência através de uma consciência individual, consciência esta que é parte da instituição e portanto do social.

Finalmente, para compreender um fenômeno social total, é preciso apreendê-lo totalmente, isto é, de fora como uma "coisa", mas também de dentro como uma realidade vivida. É preciso compreendê-lo alternadamente tal como o percebe o observador estrangeiro (o etnólogo), mas também tal como os atores sociais o vivem. O fundamento desse movimento de desdobramento ininterrupto diz respeito à especificidade do objeto antropológico. É um objeto de mesma natureza que o sujeito, que é ao mesmo tempo — emprestando o vocabulário de Mauss e Durkheim — "coisa" e "representação". Ora, o que caracteriza o modo de conhecimento próprio das ciências do homem, é que o observador-sujeito, para compreender seu objeto, esforça-se para viver nele mesmo a experiência deste, o que só é possível porque esse objeto é, tanto quanto ele, sujeito.

Trabalhando inicialmente com uma abordagem semelhante à de Durkheim, a reflexão da Mauss desembocou, como vemos, em posições muito diferentes. Estamos longe do distanciamento sociológico que supõe a metodologia durkheimiana, e próximos da prática etnográfica de Malinowski. Este último ponto merece alguns comentários.

Os argonautas do Pacífico Ocidental, de Malinowski, e o *Ensaio sobre o dom,* de Mauss, são publicados com um ano de intervalo (o primeiro em 1922, o segundo em 1923). As duas obras são muito próximas uma da outra. A segunda supõe o conhecimento dos materiais recolhidos pelo etnógrafo. A primeira exige uma teoria que será precisamente constituída pelo antropólogo. *Os argonautas* são uma descrição meticulosa desses grandes circuitos marítimos transportando, nos arquipélagos melanésicos, colares e pulseiras de conchas: a *kula.* O *Ensaio sobre o dom* é uma tentativa de esclarecimento e elaboração da *kula,* através da qual Mauss não apenas visualiza um processo de troca simbólica generalizado, mas também começa a extrair a existência de leis da reciprocidade (o dom e o contradom) e da comunicação, que são próprias da cultura em si, e não apenas da cultura trobriandesa. Enquanto *Os argonautas,* a obra menos teórica de Malinowski, evidencia o que Leach chama de "inflexão biológica", o *Ensaio sobre* o *dom* já expressa preocupações estruturais.

O fato de poder ser abordada de diferentes maneiras, de suscitar interpretações múltiplas, ou mesmo vocações diversas, é próprio de toda obra importante, e a obra de Mauss está incontestavelmente entre estas. Muitos mestres da antropologia do século XX (estou pensando particularmente em Marcel Griaule, fundador da etnografia francesa, em Claude Lévi-Strauss, pai do estruturalismo, em Georges Devereux, fundador da etnopsiquiatria) o consideram como seu próprio mestre. Mauss ocupa na França um lugar bastante comparável ao de Boas nos Estados Unidos, especialmente para todos os que, influenciados por ele, procuraram promover a especificidade e a unidade das ciências do homem.

SEGUNDA PARTE
AS PRINCIPAIS TENDÊNCIAS DO PENSAMENTO ANTROPOLÓGICO CONTEMPORÂNEO

1. INTRODUÇÃO

Com o trabalho efetuado pelos pais fundadores da etnografia — Boas, Malinowski, Rivers... — e pelos primeiros teóricos da nova ciência do social — Durkheim e Mauss —, podemos considerar que a antropologia entrou em sua maturidade. O que examinaremos agora são os desenvolvimentos contemporâneos. Não se trata evidentemente de apresentar aqui um panorama completo desse período que cobre mais de meio século (1930-1986), tão grande é a diversidade e a riqueza do campo antropológico explorado, e também porque nos falta distância para fazer o balanço dos trabalhos que nos são propriamente contemporâneos. Contentar-nos-emos, mais modestamente, em abrir algumas trilhas (mais próximas da trilha do que da autoestrada) que permitam destacar as tendências dominantes do pensamento e da prática dos antropólogos de nossa época. Podemos fazer isso de três diferentes maneiras.

CAMPOS DE INVESTIGAÇÃO

A primeira via, que me recusarei a adotar por razões que começaram a ser expostas no início deste livro, consistiria em levantar as áreas de investigação e estudar os resultados obtidos em cada uma ou em algumas delas. O desenvolvimento do pensamento científico implica uma diferenciação crescente dos campos do saber. A antropologia não apenas tende a progredir por disjunção em relação à filosofia, sociologia, psicologia, história... (podendo manter paralelamente canais e espaços de articulação e confronto), mas avança, dentro de sua própria prática, especializando-se e instaurando até subespecialidades.[1]

Se deixamos de lado essa primeira forma possível de exposição do campo antropológico contemporâneo, é porque consideramos que uma disciplina científica (ou que pretende sê-lo) não deva ser caracterizada por objetos empíricos já constituídos, mas, pelo contrário, pela constituição de objetos formais. Ou seja, a única coisa passível, a nosso ver, de definir uma disciplina (qualquer que seja), não é de forma alguma um campo de investigação dado (a tecnologia, o parentesco, a arte, a religião...), muito menos uma área geográfica ou um período da história, e sim a *especificidade da abordagem utilizada* que *transforma* esse campo, essa área, esse período em *objeto científico.*

DETERMINAÇÕES CULTURAIS

Uma segunda via, que apenas esboçaremos aqui, consistiria em mostrar o que a pesquisa do antropólogo deve à cultura à qual ele próprio pertence. As condições históricas e sociais de produção do saber antropológico são eminentemente diversificadas, e não seria satisfatório relacioná-las apenas ao "Ocidente", como se este fosse um bloco homogêneo e imutável.

---

1. Especialidades: antropologia das tecnologias, antropologia econômica, antropologia dos sistemas de parentesco, antropologia política, antropologia religiosa, antropologia artística, antropologia da comunicação, antropologia urbana, antropologia industrial... Subespecialidades: etnolinguística, etnomedicina, etnopsiquiatria, etnomusicologia, de que só se domina a prática para uma área geográfica limitada.

Mostraremos quais foram os caracteres culturais distintivos que marcavam profundamente e continuam influenciando várias sociedades nas quais o pensamento e a prática antropológicas estão hoje particularmente desenvolvidos. Limitar-nos-emos a três: a antropologia americana, a britânica e a francesa.

A antropologia americana

Tendo tido um crescimento rápido especialmente com o impulso do evolucionismo e de seu principal teórico, Lewis Morgan, a Antropologia americana pode ser caracterizada da seguinte maneira:

1) trata-se de um tipo de pesquisa que destaca a *diversidade das culturas:* as variações praticamente ilimitadas que aparecem quando se comparam as sociedades entre si. Esse estudo, conduzido mais a partir da observação dos comportamentos individuais do que do funcionamento das instituições, visa evidenciar a especificidade das personalidades culturais, bem como das produções culturais características de uma etnia ou nação. Disso decorre a importância, nos Estados Unidos, das relações da etnologia com a psicologia ou a psicanálise;

2) a antropologia americana não se interessa apenas pelos processos de interação entre os indivíduos e sua cultura, mas também entre as próprias culturas: forjou, em especial, o conceito de "aculturação", ao qual voltaremos mais adiante;

3) nunca foi confrontada, ao contrário do que ocorreu na França e na Inglaterra, aos processos da colonização e descolonização, mas, em contrapartida, ela o foi aos problemas colocados por suas próprias minorias (negra, índia e porto-riquenha);

4) acrescentemos finalmente que se a antropologia americana contribuiu muito cedo em grande parte (Boas) para pôr um fim à arrogância das reconstituições históricas especulativas, reatualizou e renovou ao mesmo tempo, em seus desenvolvimen-

tos contemporâneos, a abordagem evolucionista sob a forma do que é hoje chamado neoevolucionismo.

A antropologia britânica

Seu crescimento, também muito rápido, como nos Estados Unidos, deve ser relacionado à importância de seu império colonial. Pode ser caracterizada da seguinte maneira:

1) é uma *antropologia antievolucionista,* que se constituiu desde Malinowski em oposição a uma compreensão histórica do social (as reconstruções hipotéticas dos estágios, indo das sociedades "primitivas" às "civilizadas", bem como a abordagem da historiografia). Dedica-se preferencialmente à investigação do presente a partir de métodos funcionais (Malinowski), e, em seguida, estruturais (Radciffe-Brown): uma sociedade deve ser estudada em si, independentemente de seu passado, tal como se apresenta no momento no qual a observamos. O modelo pode portanto ser qualificado de *sincrônico,* enquanto a pesquisa baseia-se no levantamento da totalidade dos aspectos que constituem uma determinada sociedade: a *monografia;*

2) é uma antropologia *antidifusionista,* o que a opõe à antropologia americana, a qual se preocupa em compreender o processo de transmissão dos elementos de uma cultura para outra. Para a maioria dos pesquisadores ingleses, uma sociedade não deve ser explicada nem pelo que herda de seu passado, nem pelo que empresta a seus vizinhos;

3) é uma *antropologia de campo,* que se desenvolve muito rapidamente, a partir do início do século, com Malinowski e, antes, com Radcliffe-Brown, o qual é, mais ainda que Malinowski, um dos pais fundadores de quem a maioria dos antropólogos britânicos contemporâneos se considera sucessora. Esse caráter empírico (observação direta de uma determinada sociedade, a partir de um trabalho que exige longas estadias no campo) e indutivo da prática dos antropólogos ingleses apoia-se numa

APRENDER ANTROPOLOGIA 99

longa tradição britânica: o empirismo dos filósofos desse país, que se pode opor ao racionalismo e ao idealismo do pensamento francês. Hoje ainda, um antropólogo que pode ser considerado como um dos mais importantes da Grã-Bretanha, Leach, não hesita em qualificar-se de "empirista", e até de "materialista", e vê a abordagem de um Lévi-Strauss como tipicamente francesa: racionalista e idealista;

4) finalmente, é uma *antropologia social* que, ao contrário da antropologia americana, privilegia o estudo da *organização* dos *sistemas sociais* em detrimento do estudo dos comportamentos culturais dos indivíduos.

A antropologia francesa

A França está praticamente ausente da cena da antropologia social e cultural da segunda metade do século XIX. Nenhum pesquisador francês teve, nessa época, a influência de um Tylor (inglês) ou de um Morgan (americano). As preocupações da antropologia francesa estavam voltadas para outra área. Quando se falava de antropologia, tratava-se da *antropologia física,* que era então ilustrada pelos trabalhos de Broca, Quatrefages ou Topinard, que publicou em 1876 uma obra intitulada simplesmente *A antropologia.*[2]

Esse atraso da etnologia francesa — muito importante se considerarmos a intensa atividade que se desenvolvia do outro lado do canal da Mancha e do Atlântico — não será recuperado no início do século XX. Enquanto um campo empírico e teórico considerável se constituía tanto nos Estados Unidos como

---

2. Notemos que Gobineau, que considera o estudo do homem apenas sob o ângulo da raça, nunca das culturas *(Essai sur l'inégalité des races humaines,* 1853) era francês. Lembremos também a importância que teve a antropologia física e préhistórica na França (em relação notadamente à influência considerável exercida no final do século XIX pelas ciências *positivas* e *experimentais* no país de Pasteur e de Claude Bernard).

	Antropologia americana	Antropologia britânica	Antropologia francesa
Áreas de investigação privilegiadas	Estudo das personalidades culturais e dos processos de difusões, contatos e trocas interculturais	Estudo da organização dos sistemas sociais	Estudo dos sistemas de representações
Modelos teóricos utilizados	Modelos histórico (o evolucionismo e neoevolucionismo), geográfico (o difusionismo) psicológico e psicanalítico (o culturalismo)	Modelo sincrônico e funcionalista do estruturalismo inglês.	Tendência "intelectualista" e filosófica. Modelos sociológicos, estruturalista, marxista.
Pesquisadores influentes	Boas Kroeber R. Benedict	Malinowski Radcliffe-Brown	Durkheim Mauss Griaule

APRENDER ANTROPOLOGIA 101

na Grã-Bretanha; enquanto, nesses dois países, administradores utilizavam cada vez mais os serviços de antropólogos formados nas universidades, a etnologia francesa dessa época permanecia ainda uma etnologia selvagem, que não era praticada por etnólogos e sim por missionários e por alguns administradores de colônias francesas.[3]

Mais uma vez, as preocupações francesas estão voltadas para outros aspectos: trata-se dessa vez de preocupações *teóricas* de filósofos e sociólogos que, sem dúvida, exercerão uma influência decisiva na constituição científica da etnologia, mas não são sustentadas por nenhuma prática etnográfica. Nem Durkheim (cujo pensamento vai impregnar profundamente a antropologia inglesa), nem Lévy-Bruhl efetuaram qualquer observação. O próprio Mauss, que é paradoxalmente autor de uma excelente obra, um manual de investigação etnográfica (1967), nunca realizou uma investigação no campo.

Será preciso esperar os anos de 1930 para que uma verdadeira etnografia profissional comece a se constituir na França. A primeira missão de caráter científico (a famosa "Dacar-Djibuti") será efetuada por Marcel Griaule e seus colaboradores em 1931. A partir da mesma época, Maurice Leenhardt, que permaneceu por mais de vinte anos na Nova Caledônia como missionário protestante, empreendeu trabalhos (1946, 1985) que podem ser qualificados de pioneiros, enquanto Paul Rivet passava a ser um dos principais artesãos da organização da antropologia no nosso país. A partir dessa época, mas só a partir dela, pode-se considerar que, com o impulso especialmente dos homens que acabamos de citar, a antropologia francesa entrou em sua maturidade.

---

3. Clozel e Delafosse estudaram no início do século o sistema jurídico das populações do Sudão. O segundo se tornou professor na Escola Colônia, diretor da *Revue d'Ethnographie* e co-fundador do *Institut d'Ethnologie* de Paris (1924). Publicou notadamente *Les noirs de l'Afrique e L'Ame nègre* (1922). Entre os pioneiros desse africanismo francês iniciante, convém lembrar os nomes de Tauxier, Monteil, Labouret, que são administradores coloniais eruditos, e sobretudo Junod, missionário da Suíça romanche.

A partir desse momento, as pesquisas foram prosseguindo, estendendo e aprofundando-se em um ritmo ininterrupto.

Seria difícil, principalmente em algumas poucas frases, caracterizar os desenvolvimentos propriamente contemporâneos dessa pesquisa francesa, cuja riqueza não tem mais nada a invejar dos Estados Unidos ou da Inglaterra. Lembremos aqui apenas alguns aspectos relevantes:

• as preocupações *teóricas* dos antropólogos franceses que aparecem particularmente quando confrontamos seus trabalhos (e debates) à prática da antropologia anglo-saxônica, frequentemente mais empírica;

• um objeto de predileção, que é o estudo dos sistemas de "representações" (particularmente a religião, a mitologia, a literatura de tradição oral), termos que devemos a Durkheim, enquanto Lévy-Bruhl já se interessava pelo que chamava de "mentalidades";

• uma renovação metodológica, com o impulso especialmente:

1) do estruturalismo (do qual Lévi-Strauss é evidentemente o representante mais ilustre),

2) de pesquisas conduzidas dentro da perspectiva do marxismo;

• um crescimento muito recente, mas apoiado em uma sólida tradição, da etnografia, da museografia e da etnologia da própria sociedade francesa, em suas diversidades e mutações.

OS CINCO POLOS TEÓRICOS DO PENSAMENTO ANTROPOLÓGICO CONTEMPORÂNEO

Uma terceira via deterá mais nossa atenção. É por essa que finalmente optaremos, e é a partir dela que se organizará a segunda parte deste livro. Pareceu-nos que, desde sua constitui-

APRENDER ANTROPOLOGIA 103

ção enquanto disciplina de vocação científica,[4] a antropologia oscila entre *vários polos teóricos* que aparecem frequentemente como exclusivos uns dos outros, mas são de fato *pontos de vista diferentes sobre a mesma realidade.*

Tentaremos, portanto, dar conta do desenvolvimento contemporâneo da antropologia, não nos colocando mais do lado dos territórios particulares (territórios temáticos como a antropologia econômica, a antropologia religiosa, a antropologia urbana), nem do lado das colorações nacionais, explicativas das tendências culturais da prática dos pesquisadores, mas do lado dos *métodos de investigação.*

A pluralidade dos modelos mobilizados e utilizados não tem, a meu ver, nada de desvantajoso. E seria errôneo atribuir exclusivamente a impressão de cacofonia que dão frequentemente os congressos e reuniões de antropólogos a uma imaturidade científica e ao caráter ainda principiante de nossa disciplina. Novamente, procurando estudar a pluralidade, seria o cúmulo se a antropologia não fosse ela mesma *"plural".* A pluralidade é para mim, ao contrário, uma das garantias (não a única evidentemente, pois pode haver pluralidade de dogmatismos e ortodoxias) de que nossas pesquisas aceitam sujeitar-se a críticas recíprocas e passar por processos de invalidação (cf. K. Popper, 1937), cada um dos modelos teóricos sendo apenas uma perspectiva sobre o social e não o próprio social.

Em *As palavras e as coisas,* Michel Foucault distingue o que ele chama de três "regiões epistemológicas", em torno das quais se constituíram, a partir do século XIX, os diferentes saberes positivos sobre o homem: a *biologia,* ciência do ser vivo; a *economia,* ciência da produção e das relações de produção; a

---

4. As fundações antropológicas de Morgan, o aperfeiçoamento de instrumentos de investigação verdadeiramente etnográficos com Boas, Rivers e Malinowski, a elaboração de um quadro de referência conceitual com Mauss e Durkheim.

filologia, ciência da linguagem e de suas diversas expressões (mitologias, literaturas, tradições orais...). Mais precisamente, diz Foucault:

• a *biologia* é o estudo das *funções* do homem nas suas regulações fisiológicas e nos seus processos de adaptação, bem como o estudo das *normas* reguladoras dessas funções;

• a *economia* é o estudo dos *conflitos* entre o homens, a partir das relações sociais do trabalho, bem como das regras que permitem controlar esses conflitos;

• a *filologia* é o estudo do *sentido* que elaboramos em nossos discursos, bem como do sistema que constitui sua coerência.

A "região" biológica, considera Foucault (1966), encontra um de seus prolongamentos no *campo psicológico* que estuda nossos processos neuromotores, mas também nossa aptidão em elaborar fantasias e representações. À "região" econômica pertence o *campo sociológico* que explora as relações de poder. Finalmente, a última região vai dar lugar ao espaço linguístico, às disciplinas que chamamos hoje de ciências da comunicação, que se dão como objeto a análise de todas as manifestações escritas, orais e gestuais.

O que é importante notar, ainda de acordo com o autor de *As palavras e as coisas,* é:

1) o caráter *inconsciente* das *normas,* das *regras* e dos *sistemas,* em relação às funções, aos conflitos e às significações;

2) o fato de que esses diferentes pares conceituais (função/norma, conflito/regra, sentido/sistema) podem deslocar-se para fora dos territórios nos quais apareceram. Assim, por exemplo, o estudo do social tende a apreender o homem em termos de regras e conflitos. Mas também pode ser conduzido a partir dos conceitos de funções e normas (Durkheim, Maltinowski) ou a partir do sentido e do sistema (Griaule, Lévi-Strauss).

* * *

Dispondo dessa orientação, o que procurarei mostrar agora, falando em meu nome pessoal, é que:

1) o objeto da antropologia é tão complexo que não podia dotar-se de um único modo de acesso sem correr o risco do espírito de ortodoxia. E efetivamente, no período de aproximadamente meio século que estudaremos, veremos nossa disciplina utilizando sucessiva ou simultaneamente vários modos de acesso;

2) a reflexão antropológica não pode deixar de lado o conceito de inconsciente, forjado no âmbito do discurso psicanalítico, mas do qual este não tem evidentemente o monopólio. Somente o caráter *inconsciente* das normas, regras e sistemas nos permite compreender que a partir dos três campos do saber determinados por Michel Foucault estaremos confrontados com pesquisas etnológicas de caráter empírico e a pesquisas preocupadas na construção de seu *objeto científico*, o qual nunca é dado, e sim conquistado, sendo por assim dizer arrancado da percepção consciente imediata tanto dos atores sociais quanto dos observadores do social.

Levando em conta o que foi dito, parece a meu ver possível localizar cinco polos em torno dos quais a antropologia oscila constantemente:

1) *A antropologia simbólica.* Seu objeto é essa região da linguagem que chamamos símbolo e que é o lugar de múltiplas significações,[5] que se expressam em especial através das religiões, das mitologias e da percepção imaginária do cosmos. Esse primeiro eixo da pesquisa caracteriza-se mais, como veremos, por um tipo de preocupação do que por um método propriamente dito. Trata-se de apreender o objeto que se pretende estudar do ponto de vista do *sentido.* O que significam as instituições ou os comportamentos que encontramos em tal sociedade? O que

---

5. Sobre a definição antropológica do símbolo, autorizo-me a indicar meu livro *Les 50 mots clés de l'anthropologie,* Toulouse, Prival, 1974.

se pode dizer a respeito daquilo que uma sociedade expressa através da lógica de seus discursos?

2) A antropologia social. Seu objeto situa-se claramente no campo epistemológico oriundo da economia (cf. acima M. Foucault). Nada distingue realmente seu território do território do sociólogo. Um dos conceitos operatórios a partir do qual essa perspectiva de início se instaurou, é o de *função* (Malinowski, mas também Durkheim), frequentemente ligado ao estudo dos processos de *normalização* dessas funções (= as instituições). É um eixo de pesquisa que não se interessa diretamente pelas maneiras de pensar, conhecer, sentir, expressar-se, em si, e mais pela organização interna dos grupos, a partir da qual podem ser estudados o pensamento, o conhecimento, a emoção, a linguagem. Qual a finalidade de tal instituição? Para que serve tal costume? A que classe social pertence aquele que tem tal discurso, e qual é o nível de integração dessa classe na sociedade global?

3) A antropologia cultural. Seja o modelo utilizado, biológico, psicológico (Kardiner, 1970) ou linguístico (Sapir, 1967), é uma antropologia frequentemente empírica, que se situa do lado da função ou, mais ainda, do sentido, em detrimento da norma e do sistema. Mas o que permite essencialmente caracterizar essa tendência de nossa disciplina é o critério da *continuidade ou descontinuidade* entre a natureza e a cultura de um lado, e entre as próprias culturas, de outro.

a) Enquanto autores como Bateson ou Lévi-Strauss, de quem falaremos adiante, esforçam-se em pensar a continuidade (ou, mais exatamente, no caso de Lévi-Strauss, a articulação) entre a ordem da natureza e a da cultura, os que chamamos "culturalistas", com autores de quem estão, no que diz respeito ao essencial, muito afastados, como Evans-Pritchard ou Devereux, privilegiam claramente a solução da *descontinuidade.*

APRENDER ANTROPOLOGIA 107

b) Enquanto um grande número de antropólogos salienta a universalidade da cultura (para Morgan, as sociedades só são pensáveis porque pertencem a um tronco comum; para Malinowski, há uma permanência das funções; e para Devereux, uma "universalidade da cultura"), os culturalistas mais uma vez, sobretudo a respeito disso, privilegiam a descontinuidade, isto é, a coerência interna e a diferença irredutível de cada cultura.

4) *A antropologia estrutural e sistêmica.* Estudaremos aqui não só uma, mas várias correntes do pensamento antropológico. Uns utilizam um modelo psicanalítico; outros um modelo proveniente do que Foucault designa como o campo epistemológico da economia (Mauss elabora, como vimos, as regras explicativas da troca); outros, finalmente, os mais numerosos, escolhem um modelo linguístico, matemático, cibernético (Lévi-Strauss, Bateson). Mas qualquer que seja o modelo adotado, ele realiza uma passagem do consciente para o inconsciente: passagem da função para a norma (Roheim), do conflito para a regra (Mauss), do sentido para o sistema (Lévi-Strauss).

Enquanto nos situávamos, por exemplo, do lado da função, a alteridade sempre corria o risco de ser considerada (e rejeitada) no espaço da extraterritorialidade: ao lado, fora, isto é, para sempre diferente. Assim, para a psicologia pré-freudiana, o normal e o anormal não têm nada em comum. Para a etnologia de Lévy-Bruhl (1933), existe uma "mentalidade primitiva" exclusiva de tudo que é próprio do homem da lógica. Para Griaule, por fim (1966), às instituições e mitologias plenamente significantes da África tradicional, opõe-se a insignificância do Ocidente industrial. Inversão de perspectiva neste caso, em relação ao anterior, mas que se inscreve no mesmo horizonte epistemológico. Ao contrário, quando a atividade epistemológica começa a situar-se do lado da norma (e não mais da função), da regra (e não mais do conflito), do sistema (e não mais do sentido), não é mais possível pensar que os doentes mentais são "loucos", a "mentalidade primitiva", "absurda", e os mitos "insignificantes". O que desmorona, então, é a pertinência dos pares antinômicos do normal e do patológico, do lógico e do ilógico, do sentido e do não-sentido.

Se insistimos tanto desde já sobre esse quarto polo da pesquisa é porque, com ele, o campo epistemológico do saber sobre o homem muda radicalmente pela segunda vez desde o final do século XVIII (cf. p. 53 deste livro). E é, de fato, em torno das obras de Freud (o inconsciente explicativo do consciente), Saussure, e depois Jakobson (a língua explicativa da palavra), de Lévi-Strauss e dos estruturalistas (a prioridade dada ao sistema sobre o sentido), que se reorganizará o conhecimento antropológico contemporâneo. Na antropologia psicanalítica, como na antropologia estrutural, estima-se que além da surpreendente diversidade das formações psicológicas ou das produções culturais localizadas em nível empírico existe o que Bastian já chamava de "unidade psíquica da humanidade". Mas esta deve doravante ser pensada, não mais ao nível das significações vividas, mas no nível do sistema (inconsciente). Uma das principais questões que se colocará então é a seguinte: quais são as estruturas inconscientes do espírito que atuam, tanto nas formas elementares e complexas do parentesco, quanto no mito, na obra de arte?...

5) *A antropologia dinâmica.* Reunimos nesse termo um eixo da pesquisa antropológica contemporânea que se situa no horizonte do que Foucault[6] chama de campo sociológico, e que procura estudar as relações de poder. As interrogações dos autores dos quais trataremos não estão distantes das da sociologia, e alguns inclusive preferem qualificar-se de sociólogos. Uma das características de suas contribuições para a antropologia do sé-

---

6. Michel Foucault considera em *As palavras e as coisas* que a história não é uma "região epistemológica" particular devido ao caráter eminentemente dinâmico tanto da vida, do social, quanto da linguagem, mas à dimensão inelutável do ser humano vivendo (biologia), trabalhando (economia), falando (linguística).

culo XX, e mais especificamente, da segunda metade do século XX, consiste, a meu ver, em reorientar a antropologia social, operando uma ruptura total com o funcionalismo em seus pressupostos, ao mesmo tempo a-históricos (sociedades imóveis que podem ser estudadas como se a colonização não existisse) e finalistas (instituições visando satisfazer as necessidades). Para esses autores, pelo contrário, convém não isolar essa área particular do homem que seria a história. Esta é parte integrante do campo antropológico. Por isso, as questões colocadas são as seguintes: qual é a dinâmica de tal sistema social? De onde vem? Quais são as modalidades atuais de suas transformações?

Esses cinco polos em torno dos quais se organiza a antropologia contemporânea não têm nada de exclusivo. São tendências de pesquisa que podem coexistir dentro de uma mesma escola de pensamento, ou mesmo de um único pesquisador?[7]

A escolha da preeminência do que Devereux (1972) chamou de *motivo operante* (ou modelo epistemológico principal, constitutivo da abordagem adotada) — o qual pode ser exclu-

---

7. Assim, por exemplo, o começo da obra de Malinowski aparece como muito próximo da antropologia cultural. Evidenciando a especificidade da sociedade trobriandesa (1963), e afirmando em seguida a não-existência do complexo de Édipo nessa população melanésia (1967-1970), o estudioso exerceu uma influência evidente (cf., por exemplo, Kardiner, 1970) sobre os culturalistas americanos. Mas, no final de sua vida (1968), a universalidade da função superou finalmente a particularidade das culturas. Considerando agora a obra de Lévi-Strauss, esta situa-se, se a examinarmos do ponto de vista dos objetos preferencialmente estudados (os mitos), do lado do que chamamos de antropologia simbólica. Mas seu projeto diz respeito à antropologia social (é o nome do laboratório que Lévi-Strauss chefiou no Collège de France) e sua abordagem pertence evidentemente (e é até constitutiva dele) ao quarto eixo de pesquisa definido acima.
Existem portanto afinidades entre, por exemplo, a antropologia cultural e a antropologia funcional (Malinowski), entre a antropologia estrutural e a antropologia dinâmica (Godelier, 1973). Em compensação, é difícil imaginar como se poderia conciliar uma antropologia baseada na noção de integração social (Malinowski) e uma antropologia de orientação dinâmica (Balandier) ou psicanalítica (Devereux).

sivo (ou não) do lugar concedido a um *motivo instrumental* (ou modelo de investigação complementar) — explica os debates, ou até as discussões, a que assistimos não apenas entre disciplinas, mas também dentro de uma mesma disciplina. A incompreensão entre os pesquisadores pode se tornar total, se estes não tiverem plena consciência do fato de que efetuam respectivamente *escolhas metodológicas,* que constituem diversas perspectivas possíveis visando dar conta de um mesmo objeto empírico. Esse problema diz respeito em especial à questão da transferência dos modelos em antropologia. Estes podem ser, por exemplo, biológicos (Spencer, Comte, Malinowski), históricos (Morgan), linguísticos ou, como se diz hoje, "informacionais" (a antropologia estrutural e sistêmica referindo-se às noções de mensagens, códigos e programas), psicológicos (a introdução dos conceitos de inibição, repressão e sublimação para pensar o social). Convém, se quisermos escapar daquilo que é frequentemente apenas um diálogo de surdos, nunca esquecer que se trata somente de modelos, isto é, de instrumentos da pesquisa que visam explicar o real, mas não podem substituí-lo, pois este, em termos científicos, só pode ser, segundo a expressão de Bachelard, "aproximado".

2. A ANTROPOLOGIA DOS SISTEMAS SIMBÓLICOS

Foi a antropologia que se empenhou essencialmente em mostrar a lógica precisa dos sistemas de pensamento mitológicos, teológicos, cosmológicos, que são os das sociedades qualificadas de "tradicionais". Toda uma corrente de pesquisas aparece na França, particularmente representativa dessas preocupações: é a que, a partir da década de 1930, leva Marcel Griaule e seus colaboradores a efetuar estudos sistemáticos, primeiro da mitologia dos Dogon, e depois, da religião dos Bambara. Esses trabalhos[1] vão marcar duradouramente, não apenas o africanismo francês, mas também a prática etnológica dos pesquisadores franceses. Deixando de lado, por assim dizer, a compreensão das relações de poder entre os diferentes protagonistas de uma sociedade (assunto da antropologia social, de que trataremos no próximo capítulo), estes orientam sua atenção para os seguintes aspectos: o estudo das produções simbólicas (artesanato), a literatura de tradição oral (mitos, contos, lendas, provérbios...) e dos instrumentos através dos quais essas produções se constituem (particularmente as línguas); o estudo da lógica dos sabe-

---

1. Cf. por exemplo, M. Griaule (1938, 1966), G. Dieterlen (1951, 1972), D. Paulme, 1962), M. Griaule e G. Dieterlen (1965), D. Zahan (1960, 1963), G. Calame-Griaule (1965) etc.

112 A ANTROPOLOGIA DOS SISTEMAS SIMBÓLICOS

res (filosóficos, religiosos, artísticos, científicos) existentes num grupo (o que abre o caminho para uma antropologia do conhecimento e para o que hoje qualificamos de "etnociências"), em suma, de tudo que Griaule e seus sucessores chamam de "filosofia" das sociedades dogon, bambara... tal como se expressa através dos mitos e estórias tradicionais, da música, dos cantos, danças, máscaras e outros objetos culturais.

Para o conjunto dos etnólogos, e para Griaule em especial, esse pensamento simbólico e as práticas rituais a ele relacionados[2] e que constituem com ele o patrimônio do grupo, não se caracterizam apenas por sua profunda coerência — os sistemas de correspondência extremamente precisos entre os vivos e os mortos, o homem e o animal, a natureza e a cultura...

São elaborações grandiosas, de uma complexidade e riqueza inestimáveis. E é precisamente esse esplendor e essa grandeza (dos mitos, ritos, máscaras...) que acabam impondo-se ao observador ocidental, e que farão, em especial, das falésias de Bandiagara (Mali) e de seus habitantes (os Dogon), após os índios, os aborígines australianos e os trobriandeses, um dos mais importantes lugares da antropologia.

Como estamos longe do tempo em que Morgan considerava que "todas as religiões primitivas são grotescas e de alguma forma ininteligíveis". Mas como estamos longe também das apreciações que são no entanto as de muitos pesquisadores contemporâneos de Griaule. De Frazer, por exemplo, que, interrogando-se sobre os mitos e as práticas rituais aos quais havia no entanto dedicado sua vida, escreve: "loucuras, vãos esforços,

---

2. O interesse para a área dos mitos, dos ritos de iniciação da religião e da magia aparece como uma constante da antropologia francesa do conjunto do século XX. Cf. por exemplo Durkheim (1979), M. Mauss (1960), A. Van Gennep (1981), M. Leiris (1958), A. Métraux (1958), R. Bastide (1958), J. Rouch (1960), L. de Heusch (1971), C. Lévi-Strauss (1964), L. V. Thomas e R. Luneau (1975), G. Durand (1975), J. Favret Saada (1977), M. Augé (1982).

tempo perdido, esperanças frustradas". Ou de Lévy-Bruhl, que anota em seus *Carnets:* os mitos são "estórias estranhas, para não dizer absurdas e incompreensíveis", e acrescenta: "É preciso um esforço para se interessar por eles".

Toda essa tendência do pensamento antropológico de que procuramos aqui dar conta coloca-se (a partir de observações minuciosas) contra esses julgamentos. Da mesma forma, opõe-se totalmente à busca de uma determinação pela economia, que explicaria a função dos mitos dentro do sistema social. As práticas simbólicas em questão não têm de ser fundamentadas sociologicamente, pois são, pelo contrário, fundadoras da ordem cósmica e social. São elas que devem ser tomadas como fundamentais, se aceitarmos finalmente compreendê-las de dentro, impregnando-nos de sua sabedoria, recolhendo o mais fielmente possível o discurso dos iniciados, e não projetando, de fora, categorias caracteristicamente ocidentais. Percebe-se então que o conjunto do edifício das sociedades africanas baseia-se numa filosofia (cf., por exemplo, Tempels, 1949) e até numa "ontologia" que comanda a concepção toda que se tem do mundo e das relações dos homens na sociedade.

Uma abordagem muito próxima orienta as pesquisas efetuadas por Maurice Leenhardt (um dos primeiros etnólogos franceses de campo, com Griaule) na Nova Caledônia. Em *Do Kamo, a pessoa e o mito no mundo melanésio (1985),* apresentado como um "longo caminhar pelas trilhas canaques, através do pensamento dos insulares, de sua noção de espaço, de tempo, de sociedade, de palavra, de personagem", Leenhardt considera que o mito é fundador da "vida e da ação do homem e da sociedade".

Críticas não faltaram a essa antropologia que tem de fato tendência a apreender as representações (religiosas, narrativas, artísticas...) como uma área "à parte". Dedicando exclusivamente sua atenção ao "sótão", deixando de se interessar pelo que acontece "na adega", ela efetua a reconstituição dos sistemas de pensamento e conhecimento em si próprios. As relações que estes mantêm com as relações sociais, políticas, econômicas da sociedade em um determinado momento de sua história são consideradas secundárias, quando não são pura e simplesmente ocultadas. Não se pensa um só instante, por exemplo, na hipótese de que as sociedades tradicionais possam, como diz Althusser, "ser movidas à ideologia". Assim sendo, o discurso etnológico tende a confundir-se com a teoria que a sociedade estudada elabora para dar conta de si própria. Trata-se evidentemente mais que de uma renovação, mas de uma inversão de perspectivas em relação à arrogância dos julgamentos ocidentalocêntricos sobre o primitivo. Mas será que essa abordagem que se limita a recolher as representações conscientes dos mais sábios entre os iniciados locais pode servir de explicação antropológica?

O que importa destacar é que essa tendência da etnologia clássica inscreve-se num projeto de reabilitação das formas de pensamento e expressão que não são as nossas. Mostra que, fora o saber científico, o único a se beneficiar de uma plena legitimação no Ocidente do século XX, existem outras formas de conhecimento também autênticas. Esse protesto para o direito à existência de identidades culturais e espirituais (o que Senghor, por exemplo, chamará de "metafísica negra"), negadas pelas práticas coloniais e que coincide com a descoberta de "arte negra", é profundamente subversivo na primeira metade do século XX. Finalmente, se não existe nenhuma teoria griauliana propriamente dita (retomamos mais uma vez o exemplo de Griaule porque ele nos parece o mais representativo dessa abordagem), não deixa de haver um acúmulo de pesquisas extremamente aprofundadas que contribuíram em dar à etnologia francesa seu prestígio, um trabalho considerável sem o qual a antropologia provavelmente não seria o que é hoje.

3. A ANTROPOLOGIA SOCIAL

Os princípios da antropologia social, tal como se elabora especialmente na Inglaterra com o impulso de Malinowski e sobretudo de Radcliffe-Brown (1968), não deixam de lembrar os princípios da antropologia simbólica. Esta insistia, como acabamos de ver, na *coerência lógica dos sistemas de pensamento*. A antropologia social, por sua vez, começa destacando a *coesão das instituições*, o caráter *integrativo* da família, da moral, e sobretudo da religião (Durkheim, 1979).

Mas essas duas perspectivas são muito diferentes. Essa *alteridade* da qual se procurava mostrar o significado profundo (capítulo anterior), e também o valor inestimável, pode ser também encontrada dentro de cada sociedade, tão grande é a diferenciação interna dos grupos sociais que compõem uma mesma cultura. Assim, se o interesse para os sistemas de representações (mitologia, magia, religião...) permanece, é para mostrar o lugar e a função que são seus dentro de um conjunto maior: a sociedade global em questão. O que é então tomado como explicativo precisa ser explicado. A antropologia simbólica realiza em muitos aspectos uma redundância sofisticada daquilo que era dito pelos próprios atores sociais, ou, mais precisamente, pelos depositários habilitados do saber de uma parte do grupo. Perguntamo-nos agora: o que mostram, mas também dissimulam, esses discursos suntuosos que expressam menos a sociedade em sua realidade, do que a sociedade em seu *ideal?* Assim, ao estudo da cultura como sistema de relações vividas, Malinowski, um dos primeiros estudiosos, pede que se substitua o estudo da sociedade como sistema de relações reais, que escapam aos atores sociais: "Os objetivos sociológicos nunca estão presentes no espírito dos indígenas". O antropólogo é que deve descobrir as leis de funcionamento da sociedade.

As produções simbólicas são simultaneamente produções sociais que sempre decorrem de práticas sociais. Não devem ser estudadas em si, mas enquanto *representações* do social. Este último termo, consagrado por Durkheim, vai exercer um papel considerável, particularmente na constituição de uma antropologia social da religião. Quando se diz nessa perspectiva que a religião (da mesma forma que a arte ou a magia) é uma "representação", sublinha-se que não se deve atribuir-lhe nenhuma existência autônoma, pois está vinculada a uma outra coisa, capaz de explicá-la: as relações de produção, de parentesco, as relações entre faixas de idade, entre grupos sexuais, todos estes níveis de realidade, mas que são sempre relações de poder que encontram ao mesmo tempo sua expressão e sua justificação nesse saber integrativo e totalizante por excelência que é a religião.[1]

Uma outra característica desse segundo eixo de pesquisa, estreitamente vinculada ao que acabamos de dizer, merece ser sublinhada: um certo número de autores, e não dos menores

---

1. Estamos apenas dando conta, a partir do exemplo da religião, de uma opção possível inscrevendo-se na abordagem da antropologia social. Cf., ainda nessa perspectiva (durkheimiana), os trabalhos de R. E. Bradbury e col. (1972) ou de M. Douglas (1971), muito representativos da antropologia social britânica da religião. Cf., também, em uma perspectiva sensivelmente diferente, G. Balandier (1967) para quem a religião é a "linguagem do político", e, mais recentemente, as críticas formuladas por M. Augé (1979) quanto à noção de "representação".

APRENDER ANTROPOLOGIA 117

(Radcliffe-Brown (1968), Evans-Pritchard (1969), ou ainda na França, para o período contemporâneo, Roger Bastide (1970), Henri Desroche (1973) Georges Balandier (1974) e Louis-Vincent Thomas (1975) recusam-se a conceder uma pertinência à distinção entre a antropologia social e a sociologia. A antropologia social não é profundamente diferente da sociologia, considera Radcliffe-Brown, mas uma "sociologia comparativa". Evans-Pritchard, por sua vez (1969), escreve:

> A antropologia social deve ser considerada como fazendo parte dos estudos sociológicos. É um ramo da sociologia cujo estudo se liga mais especificamente às sociedades primitivas.

Para ilustrar seu ponto de vista, diametralmente oposto ao de Mauss, esse autor utiliza o exemplo de um processo que confronta juízes, jurados, testemunhas, advogados e réu:

> No decorrer desse processo, os pensamentos e sentimentos do réu, do júri e do juiz se alterarão de acordo com o momento, assim como podem variar a idade, a cor dos cabelos e dos olhos dos diferentes protagonistas, mas essas variações não são de nenhum interesse, pelo menos imediatamente, para o antropólogo. Este não se interessa pelos atores do drama enquanto indivíduos.

As relações entre a perspectiva antropológica e a perspectiva psicológica, prossegue Evans-Pritchard, podem ser formuladas nos seguintes termos:

> As duas disciplinas só podem ser proveitosas uma a outra, e, nesse caso, extremamente proveitosas, se efetuarem independentemente suas respectivas pesquisas, seguindo os métodos que lhes são próprios.

Estamos frente a uma abordagem tipicamente durkheimiana. A tal ponto que, para muitos autores americanos (cf. em especial Lowie, 1971), e notadamente para os que estão ligados à antropologia cultural, que examinaremos agora, a antropologia social não faz parte da antropologia, mas se inscreve no prolongamento da sociologia francesa.

4. A ANTROPOLOGIA CULTURAL

A passagem da antropologia social (particularmente desenvolvida na França e mais ainda na Inglaterra) para a antropologia cultural (especialmente americana) corresponde a uma mudança fundamental de perspectiva. De um lado a antropologia se torna uma disciplina autônoma, totalmente independente da sociologia. De outro, dedica-se uma atenção muito grande menos ao funcionamento das instituições do que aos comportamentos dos próprios indivíduos, que são considerados reveladores da cultura à qual pertencem. Quanto a isso, uma história da antropologia como a de Kardiner e Preble (1966) — que está longe de ser uma das melhores histórias de nossa disciplina, mas essa não é a questão — é muito característica dessa atitude americana. Trata tanto da personalidade dos principais pesquisadores apresentados, quanto de suas ideias. Já de início, coloca o que é uma constante da prática antropológica nos Estados Unidos: sua relação com a psicologia e com a psicanálise.

Para compreender a especificidade dessa abordagem, frequentemente qualificada (de forma um pouco pejorativa) de "culturalista", parece-me importante especificar bem o significado dos conceitos de *social* e de *cultura*.

120 A ANTROPOLOGIA CULTURAL

O *social* é a totalidade das *relações* (relações de produção, de exploração, de dominação...) que os grupos mantêm entre si dentro de um mesmo conjunto (etnia, região, nação...) e para com outros conjuntos, também hierarquizados. A *cultura* por sua vez não é nada mais que o próprio social, mas considerado dessa vez sob o ângulo dos *caracteres distintivos* que apresentam os comportamentos individuais dos membros desse grupo, bem como suas produções originais (artesanais, artísticas, religiosas...).

A antropologia social e a antropologia cultural têm portanto um mesmo campo de investigação. Além disso, utilizam os mesmos métodos (etnográficos) de acesso a este objeto. Finalmente, são animadas por um objetivo e uma ambição idênticos: a análise comparativa.[1] Mas, o que se compara no primeiro caso é o social enquanto sistema de relações sociais, sendo que, no segundo, trata-se do social tal como pode ser apreendido através dos comportamentos particulares dos membros de um determinado grupo: nossas maneiras específicas, enquanto homens e mulheres de uma determinada cultura, de pensar, de encontrar, trabalhar, se distrair, reagir diante dos acontecimentos (por exemplo, o nascimento, a doença, a morte).

É difícil dar uma definição que seja absolutamente satisfatória de cultura. Kroeber, um dos mestres da antropologia americana, levantou mais de cinquenta. Propomos esta: a cultura é o conjunto dos comportamentos, saberes e saber-fazer característicos de um grupo humano ou de uma sociedade dada, sendo essas atividades *adquiridas* através de um processo de aprendizagem e *transmitidas* ao conjunto de seus membros.

Detenhamo-nos um pouco para sublinhar que, a nosso ver, apenas a noção de cultura, ao contrário da de sociedade, é estritamente humana. Da mesma forma que existe (isso não é

---

1. Muito mais utilizada porém na antropologia cultural do que na antropologia social.

mais sequer discutido hoje) um pensamento e uma linguagem nos animais, existem sociedades animais e até formas de *sociabilidade animal,* que podem ser regidas por modos de interação antagônicas ou comunitárias, bem como por modos de organização complexos (em função das faixas de idade, dos grupos sexuais, da divisão hierarquizada do trabalho...). Indo até mais adiante, existe o que hoje não se hesita mais em chamar de sociologia celular. Assim, o que distingue a sociedade humana da sociedade animal, e até da sociedade celular, não é de forma alguma a transmissão das informações, a divisão do trabalho, a especialização hierárquica das tarefas (tudo isso existe não apenas entre os animais, mas dentro de uma única célula!), e sim essa forma de comunicação *propriamente cultural* que se dá através da troca não mais de *signos* e sim de *símbolos,* e por elaboração das atividades rituais aferentes a estes. Pois, pelo que se sabe, se os animais são capazes de muitas coisas, nunca se viu algum soprar as velas de seu bolo de aniversário. É a razão pela qual, se pode haver uma sociologia animal (e até, repetimo-lo, celular), a antropologia é por sua vez especificamente humana.

Fechemos aqui esse parêntese, que não nos afasta de forma alguma do nosso propósito, mas, pelo contrário, define-o melhor, e examinemos mais adiante os traços marcantes dessa antropologia que qualifica a si própria de cultural. Deter-nos-emos em três deles, que estão, como veremos, estreitamente ligados entre si.

1) A antropologia cultural estuda os caracteres distintivos das condutas dos seres humanos pertencendo a uma mesma cultura, considerada como uma totalidade irredutível à outra. Atenta às descontinuidades (temporais, mas sobretudo espaciais), salienta a originalidade de tudo que devemos à sociedade à qual pertencemos.

2) Ela conduz essa pesquisa a partir da observação direta dos comportamentos dos indivíduos, tais como se elaboram em interação com o grupo e o meio no qual nascem e crescem es-

tes indivíduos. Procurando compreender a natureza dos processos de aquisição e transmissão, pelo indivíduo, de uma cultura, sempre singular (a forma como esta não apenas informa, mas modela o comportamento dos indivíduos, sem que estes o percebam), encontra várias preocupações comuns aos psicólogos, psicanalistas e psiquiatras. Utiliza portanto frequentemente os modelos conceituais destes, bem como suas técnicas de investigação (por exemplo, os testes projetivos, utilizados pela primeira vez em etnologia por Cora du Bois). Assim, esse campo de pesquisa, designado pela expressão "cultura e personalidade", extremamente desenvolvido nos Estados Unidos e relativamente negligenciado na França e Grã-Bretanha, impõe-se, a partir dos anos de 1930, como uma das áreas da antropologia na qual a colaboração pluridisciplinar se torna sistemática.

3) Finalmente, a antropologia cultural estuda o social em sua evolução, e particularmente sob o ângulo dos processos de contato, difusão, interação e *aculturação,* isto é, de adoção (ou imposição) das normas de uma cultura por outra.

* * *

Um certo número de obras representativas dessa abordagem — escritas em sua maior parte por americanos[2] — merece ser citado. 1927: Margaret Mead publica *Coming of age in Samoa,* que será retomado em *Hábitos e sexualidade na Oceania,* em 1935, um livro que foi um marco; 1934: *Amostras de civilização,* de Ruth Benedict, certamente a obra mais característica do culturalismo americano. 1939: Kardiner, *O indivíduo e sua sociedade;* 1943: Roheim, *Origem e função da cultura,* que de-

---

2. Notemos porém que a contribuição dos pesquisadores franceses na área da antropologia cultural está longe de ser negligenciável. Citemos notadamente, para o período contemporâneo, os trabalhos de Ortigues (1966), Erny (1972), J. Rabain (1979) e lembremos a influência considerável que exerceu e continua exercendo Roger Bastide (1950, 1965, 1972), que pode ser considerado o mestre da antropologia cultural francesa.

senvolve a ideia de que a cultura é uma sublimação decorrente da imperfeição do feto humano ao nascer; 1944: Cora du Bois, *O povo de alor*; 1945: Linton, *Os fundamentos culturais da personalidade*: 1949: Herskovitz, *As bases da antropologia cultural*: 1950: Roheim, *Psicanálise e antropologia...*

O que mostram essas diferentes obras, sempre baseadas em numerosas observações, é que convém *não atribuir à natureza o que diz respeito à cultura; ou seja,não considerar como universal o que é relativo.*[3] Essa compreensão da irredutível diversidade das culturas — que é o eixo central da antropologia cultural — aparece ao mesmo tempo: 1) ao nível dos traços singulares dos comportamentos; 2) ao nível da totalidade da nossa personalidade cultural, qualificada por Kardiner de "personalidade de base". Com essa corrente de pesquisa, que procuraremos apresentar o mais fielmente possível, multiplicaremos os exemplos.

1) A variação cultural pode ser encontrada em cada um dos aspectos de nossas atividades. Por exemplo, na maneira como descansamos. Nas sociedades nas quais as pessoas dormem diretamente no solo, dificilmente elas suportam a maciez de um colchão. Inversamente, sentimos dificuldade em dormir — como me aconteceu no Brasil — em uma rede, e não nos passaria pela cabeça descansar, como alguns na Ásia, apoiando-nos em uma só perna.

Tomemos um outro exemplo: a divisão do trabalho entre os sexos. Nas sociedades do Oeste africano, as mulheres se dedicam à cerâmica, enquanto os homens vão para a roça, ao passo que, na ilha de Alor, são as mulheres que cultivam a terra enquanto os homens cuidam da educação das crianças, assim como na sociedade Chaumbuli, na qual os homens se dedicam aos filhos, enquanto as mulheres vão pescar.

Consideremos agora os comportamentos adotados para penetrar nos edifícios religiosos. Na Europa, ao penetrar numa

---

3. Como mostrei em meu livro *A etnopsiquiatria,* este último comentário deve porém ser relativizado no que diz respeito a Roheim.

igreja, observamos que os fiéis tiram o chapéu e permanecem com os sapatos. Inversamente, em uma mesquita, os muçulmanos tiram os sapatos e permanecem com o chapéu.

As formas de hospitalidade também dão testemunho de uma extrema diversidade podendo, como no exemplo acima, consistir na inversão pura e simples daquilo que tomávamos espontaneamente por natural. Assim, fiquei pessoalmente impressionado, durante minha primeira estadia em país Baúle (Costa do Marfim), como hóspede, com o convite que me era sistematicamente feito de uma refeição preparada em minha homenagem, mas que devia ser consumida isoladamente, isto é, em um cômodo e separadamente de meus hospedeiros, os quais, por outro lado, reservavam-me um presente muito inesperado para um ocidental, que não era nada menos que a filha mais bonita da casa.

Diferenças significativas, decorrentes da cultura à qual pertencemos, podem também ser encontradas nos menores detalhes dos nossos comportamentos mais cotidianos. Assim, nas sociedades árabes, sul-americanas e sul-europeias, desviar o olhar é considerado como um sinal de má educação, enquanto que nas sociedades asiáticas e norte-europeias, olhar fixamente alguém com insistência causa um incômodo que se traduz por uma impressão de ameaça e agressividade.

A saudação visual que consiste em levantar rapidamente as sobrancelhas, acenar a cabeça e sorrir, assinala um encontro amigável na Nova Guiné ou na Europa, mas é censurada por ser considerada indecente no Japão. As trocas de contatos cutâneos entre dois interlocutores são extremamente reduzidas nos países anglo--saxônicos, assim como no Japão. Impõe-se, pelo contrário, como expressão normal do prazer de encontrar o outro nas sociedades mediterrâneas e sul-americanas. Esses mesmos interlocutores, sentados no terraço de um bar ou passeando na rua, irão manter um certo espaço entre si na Europa do Norte ou na Ásia, sob pena de sentir um certo mal-estar; tenderão a diminuir a distância que os separa nas sociedades árabes ou latino-americanas.

Finalmente, as formas de comportamento sexual detiveram particularmente a atenção dos observadores. De um lado, a educação sexual é eminentemente variável de uma sociedade para outra. Na Melanésia, por exemplo, meninos e meninas são, na idade da puberdade, iniciados nas técnicas amorosas por monitores experimentados, enquanto os Muria da Índia (cf. Elwin, 1959) institucionalizavam essa prática preservando um espaço (por assim dizer, uma casa da juventude) que tem como objetivo encorajar os jogos sexuais. Por outro lado, os rituais amorosos são profundamente diferentes, não apenas de uma civilização para outra, mas dentro de uma mesma civilização. Aqui está um exemplo recolhido por Margaret Mead que merece ser relatado.

Durante a última Guerra Mundial, soldados americanos estavam mobilizados na Grã-Bretanha. Esses soldados e as jovens inglesas com quem saíam acusavam-se mutuamente de má educação nas relações amorosas. Os GIs consideravam as inglesas mulheres levianas; as inglesas achavam que os americanos comportavam-se como marginais. Cada um dos grupos reagia normalmente, mas a norma era diferente de uma cultura para outra: para os americanos, o beijo, que intervém muito cedo nas relações de namoro, não tinha grandes consequências, enquanto que, para as inglesas, era a última etapa antes do ato sexual. As inglesas ficavam, portanto, chocadas que os americanos quisessem beijá-las tão precipitadamente; e estes não entendiam que as inglesas fugissem deles por causa de um ato tão insignificante quanto um beijo na boca, ou que passassem tão rapidamente para a etapa seguinte, quando tinham aceito o beijo. Quiproquós desse tipo pontuam nossas relações interculturais.

2) O peso da cultura não se manifesta apenas nas formas diversificadas de comportamentos e atividades facilmente localizáveis de uma sociedade para outra (como a alimentação, o hábitat, a maneira de se vestir, os jogos...), mas também nas estruturas perceptivas, cognitivas e afetivas, constitutivas da

própria personalidade. A antropologia cultural foi assim levada a retomar, nos fundamentos da observação e da análise etnopsicológica, o que os folcloristas, mas também os escritores (Chateaubriand, Georges Sand...) chamavam de "alma" ou "gênio" de um povo. Assim, tentou evidenciar a preocupação dos japoneses em nunca perder a face em sociedade, sob pena de um desmoronamento da personalidade que se traduz por um sentimento de vergonha e culpa extremos, ou ainda, o receio dos franceses frente à natureza que deve ser domesticada pela razão; receio que se expressa tanto no caráter "bem-comportado" dos nossos contos populares (sempre menos extravagantes que os contos escandinavos, russos ou alemãs), quanto em nossos jardins, qualificados precisamente de "jardins à francesa".

Mas é sobretudo ao estudo das formas contrastadas da personalidade nos povos das sociedades "tradicionais", que a antropologia americana deve a sua fama. Margaret Mead (1969), ao confrontar duas populações vizinhas da Nova Guiné, considera que uma, a dos doces e ternos Arapesh, só deseja paz e serenidade, enquanto a outra, a dos violentos Mundugumor, é comandada por uma agressividade propriamente canibal. O que é então considerado como personalidade desviante entre os primeiros (o indivíduo violento), aparecerá, entre os segundos, como perfeitamente normal, isto é, conforme ao ideal do grupo, e inversamente. Na mesma ótica, Ruth Benedict (1950) opõe a sociedade "apoloniana" dos índios Pueblos do Novo México à exaltação e rivalidade "dionisíacas" permanentes que mantêm entre si os habitantes da ilha de Dobu, este, um povo de feiticeiros (R. Fortune, 1972). Se houver, entre estes, indivíduos que não tenham nenhum sentimento de suspeição, nenhum gosto pelo roubo, e detestem brigar, não deixarão de aparecer como marginais, enquanto estariam perfeitamente bem adaptados (e considerados como conformistas) na sociedade pueblo.

APRENDER ANTROPOLOGIA

A partir de exemplos desse tipo, Ruth Benedict elabora sua teoria do "arco cultural". Cada cultura realiza uma escolha. Valoriza um determinado segmento do grande arco de círculo das possibilidades da humanidade. Encoraja um certo número de comportamentos em detrimento de outros que se veem censurados. Através de um processo de seleção (não biológico, mas cultural), todos os membros de uma mesma sociedade compartilham um certo número de preocupações, sentem as mesmas inclinações e aversões. O que caracteriza uma determinada sociedade é uma "configuração cultural", uma lógica que se encontra ao mesmo tempo na especificidade das instituições e na dos comportamentos. Toda cultura persegue um objetivo, que é desconhecido dos indivíduos. Cada um de nós possui em si todas as tendências, mas a cultura à qual pertencemos realiza uma seleção. As instituições (e, em especial, as instituições educativas: famílias, escolas, ritos de iniciação) pretendem — inconscientemente — fazer com que os indivíduos se conformem aos valores próprios de cada cultura.

Críticas, frequentemente severas, não faltaram ao culturalismo americano,[4] que está longe de ser unanimidade entre os antropólogos, sobretudo na França, onde o mínimo que se pode dizer é que não tem boa reputação. Trabalhando com uma abordagem muito empírica (a localização das funções, dos conflitos e das significações, em detrimento da investigação das normas, das regras e dos sistemas, de acordo com os termos de Michel Foucault aos quais nos referimos acima), tende a efetuar uma redução dos comportamentos humanos a *tipos,* e a esboçar tipologias que devem muito mais à intuição e à própria perso-

---

4. Autorizo-me a indicar ao leitor dois de meus livros anteriores *(L'Ethnopsychiatrie,* Ed. Universitaires, 1973, pp. 33-36; *Les 50 mots clés de l'anthropologie,* Ed. Privat, 1974, pp. 46-50) e a sublinhar que, a meu ver, foi Georges Devereux (1970), colocando-se no coração mesmo do campo de estudo privilegiado por essa tendência da Antropologia, quem propôs a crítica mais radical desta.

128   A ANTROPOLOGIA CULTURAL

nalidade do pesquisador, do que à construção rigorosa de um objeto científico. Além disso, e em consequência mesmo dos pressupostos que são seus (a observação daquilo que, em uma sociedade, é manifesto, em detrimento daquilo que é recalcado e inconsciente), desenvolve uma concepção do *relativismo cultural* (expressão forjada por Herskovitz) que o impede de dar o passo que separa o estudo *das* variações culturais da análise da variabilidade *da* cultura; variabilidade esta que será o objeto das pesquisas examinadas no próximo capítulo.

Isso não impede que, levando-se em conta essas críticas, levando-se em conta, também, o fato de que o projeto desses autores é frequentemente menos ambicioso do que geralmente se diz (cf. particularmente a obra de Ruth Benedict), a antropologia cultural, pela área de investigação que é sua e que é frequentemente deixada de lado em nosso país, pela amplitude do campo dos materiais recolhidos, pela importância dos problemas colocados, represente uma contribuição bastante considerável para nossa disciplina.

5. A ANTROPOLOGIA ESTRUTURAL E SISTÊMICA

Para a antropologia cultural, *cada cultura particular,* caracterizada por um conjunto de tendências tais como aparecem empiricamente ao observador, é um pouco comparável às peças de um quebra-cabeça. São entidades parceladas, frutos de uma prática parceladora. E, nessas condições, *a cultura* é concebida como uma espécie de mosaico, um traje de Arlequim. Na perspectiva na qual nos situaremos agora, as culturas são apreendidas, ou melhor, tratadas, em um nível que não é mais dado, e sim construído: o do sistema. Não se trata mais de estudar tal aspecto de uma sociedade em si, relacionando-o ao conjunto das relações sociais (antropologia social), e muito menos tal cultura particular na lógica que lhe é própria (antropologia cultural, mas também simbólica); trata-se de estudar a lógica *da* cultura. Ou seja, além da *variedade* das culturas e organizações sociais, procuraremos explicar a *variabilidade* em si da cultura o que dizem e inventem os homens deve ser compreendido como produções do espírito humano, que se elaboram sem que estes tenham consciência disso.

130 A ANTROPOLOGIA ESTRUTURAL E SISTÊMICA

Isso colocado, reuniremos neste capítulo um certo número de tendências do pensamento e da prática antropológicos aparentemente bastante distantes entre si:

• o que se pode qualificar de *antropologia da comunicação,* que, com o impulso de Gregory Bateson e da escola de Palo Alto, estuda as diferentes modalidades da comunicação entre os homens, não a partir dos interlocutores que seriam considerados como elementos separados uns dos outros, mas a partir dos processos de interação formando sistemas de troca, integrando notadamente tudo o que, no encontro, se dá no nível (não verbal) das sensações, dos gestos, das mímicas, e da posturas;

• *a enopsiquiatria,* cujo fundador é Georges Devereux, e que é uma prática claramente pluridisciplinar, procurando compreender ao mesmo tempo a dimensão étnica dos distúrbios mentais e a dimensão psicológica e psicopatológica da cultura;

• o *estruturalismo francês,* finalmente, do qual muitos gostam hoje de dizer que está há muito tempo ultrapassado, mas que eu considero pessoalmente como mais atual do que nunca.

*   *   *

Existem, é claro, diferenças essenciais entre essas diversas correntes da antropologia contemporânea. Mas reúnem-se no entanto em torno de um certo número de opções.

1) Trata-se em primeiro lugar da importância dada aos modelos epistemológicos formados no âmbito das ciências da natureza ou, mais precisamente, da necessidade de um confronto entre abordagens aparentemente tão afastadas uma das outras quanto a etnologia, a neurofisiologia, as matemáticas (e no campo das ciências humanas, a psicanálise, a linguística). Todos os autores que acabamos de citar colocam o problema da passagem de um modo de conhecimento para outro, assim como a questão da validade da transferência dos modelos.

APRENDER ANTROPOLOGIA 131

Partindo do "princípio de incerteza" de Heisenberg (é impossível determinar ao mesmo tempo e com igual precisão a velocidade e a posição do elétron, pois sua observação cria uma situação que o modifica), Devereux, pioneiramente, mostra que o que é verdadeiro no campo da física quântica é mais verdadeiro ainda no das ciências humanas e, particularmente, da etnologia: a presença de um observador (no caso, o etnógrafo) provoca uma perturbação no observado, e essa perturbação, longe de ser uma fonte de erros a ser neutralizada, é pelo contrário uma fonte de informações que convém explorar.

Partindo da cibernética, inventada por Norbert Wiener em 1848 a partir da elaboração da pilotagem automática, Bateson, de volta de Bali, percebe que os princípios de Wiener podem trazer uma renovação total para o estudo da comunicação humana, e, particularmente, das ferramentas, até então não utilizadas para abordar os sistemas interativos em jogo nas nossas trocas.

Ora, Lévi-Strauss, quase tanto quanto Bateson, recorre a esse modelo nascido da fecundação mútua da eletrônica e da biologia. Desde a sua *Introdução à obra de Marcel Mauss* (o qual é incontestavelmente o pai do estruturalismo francês, e também o "mestre" a quem Devereux dedica seus *Ensaios de etnopsiquiatria Geral),* Lévi-Strauss refere-se a Wiener e Neumann.

2) A partir dos anos de 1950, começa a desenvolver-se, tanto na Europa quanto nos Estados Unidos, um modelo que Winkin qualifica de "modelo orquestral da comunicação", esta última não sendo mais concebida à maneira telegráfica de um emissor transmitindo em sentido único uma mensagem a um destinatário, mas como um complexo de elementos em situação de interações contínua e não aleatória. Disso decorre a metáfora da orquestra participando da execução de uma partitura "invisível", na execução da qual cada um dos músicos está envolvido. Os antropólogos americanos que se inscrevem nessa corrente insistem sobre o fato de que é impossível não comunicar, já que todo

comportamento humano (do vozerio mais intenso ao mutismo absoluto, pontuado por gestos, posturas, mímicas e expressões do rosto, por mínimas que sejam) consiste em trocar mensagens frequentemente involuntárias. Ora, a tarefa do pesquisador é precisamente a de evidenciar essas regras gramaticais constitutivas da linguagem tanto verbal quanto não verbal, isto é, na realidade, a cultura, cuja lógica é irredutível à soma de seus elementos.

Lembremos mais uma vez que existem, é claro, diferenças muito importantes entre o estruturalismo europeu, em particular francês, e o interacionismo americano. Mas eles visam juntos à construção do que Lévi-Strauss chama uma "ciência da comunicação". Para este último toda cultura é uma modalidade particular da comunicação (das mulheres, das palavras, dos bens), regida por leis inconscientes de inclusão e exclusão. E quando o autor da *Antropologia estrutural* realiza, na parte mais recente de sua obra, o estudo dos mitos, refere-se também à imagem de uma partitura musical não escrita e sem autor, expressando o próprio inconsciente da sociedade.

Se a etnopsiquiatria de Devereux não deve nada a essa abordagem "sistêmica", relutando até, frente a quaisquer empreendimentos de formalização linguística, ela acentua o caráter eminentemente *relacional* do objeto das ciências humanas: os fenômenos estudados tanto pelo clínico quanto pelo etnólogo são fenômenos que nunca são dados em estado bruto, tratando--se simplesmente de recolhê-los, e sim fenômenos *provocados* em uma situação de *interação particular* com atores particulares, e que convém analisar, procurando compreender a natureza da perturbação envolvida na própria relação que liga o "observador" e o "observado".

3) A experiência etnológica — que é antes experiência de uma relação humana, isto é, de um *encontro* — se dá no inconsciente: inconsciente freudiano, mas também inconsciente étnico para Devereaux, inconsciente estrutural para Lévi-Strauss. Isto

é, "estrutura inata do espírito humano", situada no ponto de encontro entre a natureza e a cultura; mas estrutura que se expressa sempre na "história particular dos indivíduos e dos grupos", produzindo constantemente aspectos inéditos. Ou seja, tanto para o estruturalismo quanto para etnopsiquiatria (mas isso já é menos verdadeiro para o conjunto da antropologia sistêmica americana, cuja tendência é, frequentemente, empírica como nos Estados Unidos), o sentido do que fazem os homens deve ser procurado menos no que dizem do que no que encobrem, menos no que as palavras expressam do que no que escondem.

4) Todo o pensamento antropológico que procuramos aqui descrever inscreve-se claramente no quadro das *ciências humanas* (ou, como se diz nos Estados Unidos, das "ciências do comportamento") e não no das *ciências sociais*. Enquanto estas últimas "aceitam sem reticências estabelecer-se no próprio âmago de sua sociedade", como escreve Lévi-Strauss (1973) — é o caso da economia, da sociologia, do direito, da demografia —, as primeiras, visando "apreender uma realidade imanente ao homem, colocam-se aquém de todo indivíduo e de toda sociedade".

O exemplo da primeira obra de Bateson, *A cerimônia* do *Naven* (1936), parece-me particularmente revelador. Em primeiro lugar, devido à sua exigência de pluridisciplinaridade (e, especialmente de pluridisciplinaridade entre a abordagem etnológica e psicológica),[1] mas que não é concebida, de forma alguma, à maneira da antropologia cultural. O autor estuda os diferentes tipos possíveis de relações dos indivíduos para com a sociedade e, mais especificamente, as reações dos indivíduos frente às reações de outros indivíduos. Em seguida, e sobretudo, por seu caráter inovador no campo da antropologia anglo-saxônica da época, caracterizada notadamente pela monografia. A partir da cultura dos Iatmul da Nova Guiné, mas

---

1. Essa problemática, que é o eixo de toda a obra de Devereux, é também uma das preocupações maiores de Lévi-Strauss, que escreve em *La Pensée sauvage* que "a etnologia é antes uma psicologia".

além dessa cultura, o que interessa Bateson é a possibilidade de aceder a uma teoria transcultural cujos conceitos poderão ser utilizados na compreensão de outras sociedades. Ora, ninguém insistiu mais que Lévi-Strauss e Devereux sobre o fato de que as culturas particulares não podiam antropologicamente ser apreendidas sem referência à "cultura" (Devereux), "esse capital comum" (Lévi-Strauss) que utilizamos para elaborar nossas experiências tanto individuais como coletivas. Disso decorre o caráter claramente "metacultural" (Devereux) desse pensamento, que está rigorosamente no oposto do "culturalismo", e eminentemente fundador da possibilidade da comunicação tanto intersubjetiva quanto intercultural.

5) Queríamos finalmente insistir sobre o fato de que essas diferentes abordagens são abordagens da *totalidade,* refratárias a qualquer atitude reducionista, isto é, considerando apenas um aspecto parcelar da realidade social, através de um instrumento único. Para Lévi-Strauss, assim como para Bateson, não existem nunca relações de causalidade unilinear entre dois fenômenos, e sim "correlações funcionais". E se a abordagem da etnopsiquiatria em relação à da antropologia estrutural ou sistêmica é claramente analítica, e não sintética, enquadra-se dentro de uma epistemologia da *complementaridade,* fundada sobre a necessidade da articulação de enfoques habitualmente tomados como separados. Por todas essas razões, a antropologia assim considerada é, de acordo com o termo proposto por Jean-Marie Auzias (1976), um "pensamento dos conjuntos", preocupado em não deixar escapar nada na investigação do social, e, por isso, inventor de modelos que convém qualificar de "complexos".

A abordagem de Lévi-Strauss ocupará portanto agora nossa atenção. Essa abordagem procede de uma série de rupturas radicais.

1) Ruptura em primeiro lugar com o humanismo e a filosofia, isto é, as ideologias do sujeito considerado enquanto fonte de significações. A metodologia estrutural inverte a ordem dos ter-

mos em que se apoiava a filosofia. O sentido não está mais dessa vez ligado à consciência, a qual se vê descentrada pelo projeto estrutural, tanto como pelo projeto freudiano. Rompendo com a tagarelice do sujeito, "essa criança mimada da filosofia", como escreve Lévi-Strauss, as significações devem ser doravante buscadas no "ele" da linguística, como no "id" da psicanálise. Ou seja, eu sou pensado, sou falado, sou agido, sou atravessado por estruturas que me preexistem. Assim, tanto a antropologia como a psicanálise introduzem uma crise na epistemologia da racionalidade: o lugar atribuído ao sujeito transcendental é questionado pela irrupção da problemática do inconsciente.

2) Ruptura em relação ao pensamento histórico: o evolucionismo, é claro, mas também qualquer forma de historicismo. Para este último, que é necessariamente genético, explicar é procurar uma anterioridade, isto é, tentar compreender o presente através do passado. À análise dos processos em termos de explicação causal, opõe-se a inteligibilidade estrutural, inteligibilidade combinatória de uma instituição, de um comportamento, de um relato...

3) Ruptura com o atomismo, que considera os elementos independentemente da totalidade. Com o modelo do estruturalismo sendo linguístico, o sentido de um termo só pode ser compreendido dentro de sua relação às outras palavras da língua ou do que for análogo a esta.

4) Ruptura, finalmente, com o empirismo. "Para alcançar o real, é preciso primeiro repudiar o vivido", diz LéviStrauss em *Tristes trópicos*. Ou seja, o objeto científico deve ser arrancado da experiência da impressão, da percepção espontânea. Para isso, convém colocar-se ao nível não mais da palavra e sim da *língua;* não mais, voltaremos a isso, da história consciente do que fazem os homens, e sim do *sistema* que ignoram. É toda a diferença entre o estruturalismo inglês e o estruturalismo francês. Para Lévi-Strauss, Radcliffe-Brown confunde a estrutura social e as relações sociais. Ora, estas são apenas os materiais

utilizados para alcançar a estrutura, a qual não tem como objetivo substituir-se à realidade, e sim *explicá-la*. Mais precisamente, uma estrutura é um sistema de relações suficientemente distante do objeto que se estuda para que possamos reencontrá-lo em objetos diferentes.

* * *

Assim, através da inversão epistemológica que realiza, abrindo uma compreensão nova da sociedade, o pensamento estrutural nos mostra que a extraordinária variedade das relações empíricas só se torna inteligível a partir do momento em que percebemos que existe apenas um número limitado de estruturações possíveis dos materiais culturais que encontramos, um número limitado de *invariantes*. As relações de aliança entre homens e mulheres parecem, à primeira vista, praticamente infinitas. Mas oscilam sempre entre alguns grupos: comunismo sexual, levirato, sororato, casamento por rapto, poligamia, monogamia, união livre. Da mesma forma, as relações dos homens com a divindade sempre se organizam a partir de um pequeno número de opções possíveis: o monoteísmo, politeísmo, manteísmo, ateísmo, agnosticismo.

Foi a partir do campo do parentesco que se constituiu o estruturalismo de Lévi-Strauss. Para este, o parentesco é uma linguagem. Não se pode compreendê-lo efetuando a análise ao nível dos termos (o pai, o filho, o tio materno em uma sociedade matrilinear...), muito menos ao nível dos sentimentos que podem animar os diferentes membros da família. É preciso colocar-se no nível das *relações* entre estes termos, regidas por regras de troca análogas às leis sintáticas da língua. Mas a análise estrutural das relações de aliança e parentesco está longe de ser a aplicação pura e simples de um modelo (o da Linguística). Quando se estuda o parentesco, a linguagem ou a economia, estamos na realidade frente a diferentes modalidades de uma única e mesma função: a comunicação (ou a troca), que é a pró-

APRENDER ANTROPOLOGIA 137

pria cultura, emergindo da natureza para introduzir uma ordem onde esta última não havia previsto nada. Mais precisamente, a reciprocidade — que é a troca atuando e que exige uma teoria da comunicação — pode ser localizada em vários níveis:

• no nível da cultura: é a troca de mulheres (parentesco), de palavras (linguística), de bens (economia), onde mulheres, palavras e bens são termos que se trocam, informações que se comunicam;[2]

• no ponto de encontro entre a natureza e a cultura, isto é, no nível de um inconsciente estrutural, que, além da contingência dos materiais programados, reorganiza incessantemente esses mesmos materiais.

Dois exemplos a que Lévi-Strauss recorre várias vezes em sua obra permitem compreender essa inversão de perspectiva que realiza a metodologia estrutural. São os exemplos do baralho e do caleidoscópio:

O homem é semelhante ao jogador pegando na mão, ao sentar à mesa, cartas que não inventou, já que o jogo de baralho é um *dado* da história e da civilização. Em segundo lugar, cada repartição das cartas resulta de uma distribuição contingente entre os jogadores, e se dá independentemente da vontade de cada um. Existem as *distribuições* que são sofridas, mas que cada sociedade, como cada jogador, interpreta nos termos de vários sistemas, que podem ser comuns ou particulares: regras de um jogo, ou regras de uma tática. E sabe-se bem que, com a mesma distribuição, jogadores diferentes não fornecerão a mesma partida, embora não pos-

---

2. "As próprias mulheres", escreve Lévi-Strauss, "são tratadas como signos dos quais se abusa quando não se dá a elas o uso reservado aos signos, que é de serem comunicados". E a antropologia tem como tarefa a de estabelecer as regras da troca, diferentes de uma sociedade para outra, mas que permanecem em todos os casos independentes da natureza dos parceiros.

sam, compelidos também pelas regras, fornecer uma determinada distribuição a qualquer partida.

Em um caleidoscópio, a combinação de elementos idênticos sempre dá novos resultados. Mas é porque a história dos historiadores está presente nele — nem que seja na sucessão de chacoalhadas que provocam as reorganizações da estrutura — e as chances para que reapareça duas vezes o mesmo arranjo são praticamente nulas.

Todo o programa e toda a abordagem do estruturalismo estão nesses dois textos:

1) a existência de um certo número de materiais culturais sempre idênticos, que, como as cartas ou os elementos do caleidoscópio, podem ser qualificados de *invariantes;*

2) as diferentes estruturações possíveis desses materiais (isto é, as maneiras com as quais se organizam entre si quando passamos de uma cultura para outra, ou de uma época a outra) que não existem em número ilimitado, pois são comandadas pelo que Lévi-Strauss chama de "leis universais que regem as atividades inconscientes do espírito";

3) finalmente, o estruturalismo é comparável à aplicação de leis gramaticais, ao próprio desenrolar do jogo de baralho ou aos movimentos do caleidoscópio que não para de girar, com alguém que observa esse processo — o etnólogo — dirigindo, no caso do autor de *Tristes trópicos,* sobre o que percebe, um olhar que se pode qualificar de estético.

Lévi-Strauss não ignora a diversidade das culturas — já que procurará precisamente dar conta dela — nem a história. Mas, de um lado desconfia de um "ecletismo apressado" que "confundiria as tarefas e misturaria os programas". E, de outro, considera que para compreender o movimento das sociedades é preciso não se situar ao nível da consciência que o Ocidente tem da história. Essa consciência histórica do "progresso" não carrega consigo nenhuma verdade, é um mito que convém estudar como os outros mitos, isto é, estendendo no espaço aquilo que o historiador percebe como escalonado no tempo.

Tal é o significado do conceito de estrutura que Pouillon (1966) define como "a sintaxe das transformações que fazem passar de uma variante para outra", pois "é essa sintaxe que dá conta de seu número limitado, da exploração restrita das possibilidades teóricas". Ou seja, a história é um jogo no qual a identidade dos parceiros tem menos importância que as partidas jogadas, e mais ainda as regras das partidas jogáveis. Ao comentar o pensamento de Lévi-Strauss, Pouillon recorre notadamente à dupla metáfora do *bridge* e do jogo de xadrez. Enquanto no *bridge* é indispensável conhecer as cartas que acabaram de ser jogadas, no xadrez qualquer posição do jogo pode ser compreendida sem que se tenha conhecimento das jogadas anteriores. Ora, Lévi-Strauss considera que o estágio da partida jogada pelas sociedades ocidentais é hoje desastroso, enquanto que as que foram jogadas pelas sociedades que se insiste em qualificar de "primitivas" são infinitamente mais humanas.

6. A ANTROPOLOGIA DINÂMICA

A antropologia cultural insiste ao mesmo tempo sobre a *diferença* das culturas umas em relação às outras, e sobre a *unidade* de cada uma delas. A antropologia que qualificamos de simbólica abre, notadamente através de sua reivindicação antietnocentrista, uma perspectiva muito próxima da anterior, mas que se empenha em explorar particularmente um certo número de conteúdos materiais (os mitos, os ritos) e de estruturas formais (a especificidade das lógicas do conhecimento expressando-se notadamente através das línguas). A antropologia estrutural, por sua vez, faz aparecer, como acabamos de ver, uma *identidade* formal (um inconsciente universal) informando uma multiplicidade de conteúdos materiais diferentes. O último polo do pensamento e da prática antropológicos que estudaremos agora aparece como ao mesmo tempo próximo e diferente da antropologia social clássica. Próximo, porque evidencia a articulação de diferentes níveis do social dentro de uma determinada cultura. Diferente, porque opera uma ruptura total com a concepção de Malinowski ou de Durkheim, mas também de Lévi-Strauss, de sociedades (" primitivas", "selvagens" ou "tradicionais") harmoniosas e integradas, em proveito do estudo dos processos de *mudança,* ligados tanto ao dinamismo interno que é característico de toda sociedade, quanto às relações que mantêm necessariamente as sociedades entre si.

O que caracteriza essencialmente as diferentes tendências dessa antropologia que qualificamos aqui de dinâmica, é sua *reação comum* frente à orientação, do seu ponto de vista *conservadora,* que pode ser encontrada dentro dos quatro polos de pesquisa que, para maior clareza, acabamos de distinguir. Praticamente, de fato, todas as perspectivas etnológicas que se elaboram a partir da década anos 1930 (a antropologia social, simbólica, cultural) e que conhecem, para muitas, uma renovação durante os anos de 1950, com o impulso particularmente da análise estrutural, estão animadas por uma abordagem claramente antievolucionista. O caráter especulativo da antropologia dominante do século passado explica em grande parte essa reação a-histórica de nossa disciplina. No entanto, tudo se passa frequentemente como se as sociedades preferenciais, ou até exclusivamente estudadas pela maioria dos antropólogos do século XX, fossem isentas de relações com seus vizinhos, existissem dentro de um quadro econômico e geográfico mundial, e ignorassem tudo das contradições, dos antagonismos e das rupturas que seriam próprias apenas das sociedades ocidentais.

Insistindo tanto sobre a natureza repetitiva e rotineira das sociedades vistas como imóveis ou, como diz Lévi-Strauss, "próximas do grau zero de temperatura histórica", chega-se a considerar anormal a transformação. E dissocia-se, por isso mesmo, um núcleo *considerado essencial,* único objeto da "ciência" (a integridade, estabilidade e harmonia dos grupos humanos que souberam preservar uma arte de viver), e uma *sujeição julgada acidental* (as peripécias da reação com o colonialismo). Essa separação artificial de um *objeto* que poderia ser apreendido em estado puro, pois estaria em si ainda puro de qualquer escória da modernidade, e de um *contexto* (os grandes aconte-

142 A ANTROPOLOGIA DINÂMICA

cimentos mundiais do século XX) considerado como aleatório, só é possível porque se consegue enquadrar o fenômeno assim recortado nos moldes de um quadro teórico que funciona, em muitos aspectos, como uma ocultação da realidade.

Pois as sociedades empíricas às quais o etnólogo do século XX é confrontado não são nunca essas sociedades atemporais inencontráveis, ficticiamente arrancadas da história, e, sim, sempre *sociedades em plena mutação,* nas quais, pegando apenas um exemplo, as missões católicas e protestantes abalaram há muito tempo o edifício das religiões tradicionais. Recusando-se a tomar em consideração a amplitude e a profundidade das mudanças sociais, somos levados a apagar tudo o que não entra no quadro que se pretende estudar — um pouco como nesses filmes magníficos sobre os índios da Amazônia ou os aborígines da Austrália, em que se livram das as garrafas de Coca-Cola e tanques de gasolina da Standard Oil para preservar a beleza das imagens. Mas então, devemos temer que essa quase-transmutação estética, essa preocupação que tem o etnólogo na realidade, menos em realizar ele próprio uma obra de arte do que contemplar modos de vida que seriam em si obras de arte (de Malinowski a Lévi-Strauss, passando por Griaule e Margaret Mead), faça esquecer a realidade das relações sociais.

Ora, é precisamente contra essa tendência do pensamento etnológico que um certo número de antropólogos contemporâneos se levantam. A partir de uma crítica vigorosa tanto do funcionalismo quanto do estruturalismo, toda sua abordagem consiste, de acordo com as palavras de Paul Mercier (1966), em aceitar "a morte do primitivo" e "reabilitar" a mudança. Para eles, esta não é mais de forma alguma apreendida como a destruição de uma identidade que se caracteriza por um estado de equilíbrio e harmonia. Ou seja, convém deixar de ter uma compreensão negativa da mudança social, pois esta é co-extensiva ao próprio social, e deve, portanto, se tornar um dos pontos centrais da análise do social. A consequência desse novo enfoque é o desaparecimento da oposição, essencial para Lévi-Strauss, entre as "sociedades frias" e as "sociedades quentes"; desaparecimento que pode levar à recusa de uma outra distinção que também deixa de ser reconhecida como pertinente: a da antropologia e da sociologia.[1]

Uma das correntes contemporâneas mais marcantes desse pensamento é certamente a que nasceu nos Estados Unidos, durante os anos de 1950, com o impulso de Leslie White (1959), e que qualifica a si própria de *neoevolucionismo*. Este realiza, em primeiro lugar, uma releitura e uma reabilitação da obra de Morgan, relegada até então, pela maioria dos pesquisadores, ao esquecimento. Descobre assim que essa obra contém uma intuição fecunda que convém explorar: não se trata, é claro, dessa "periodização" sistemática, sobre a qual os adversários do antropólogo americano tanto insistiram para desacreditá-lo, mas de sua descoberta de uma indissociabilidade de níveis do social (a tecnologia, a ecologia, a família, as instituições políticas, a religião) estreitamente imbricadas, formando o que o próprio Morgan chama de "estruturas", que evoluem dentro de períodos sucessivos.[2] Esse neoevolucionismo, particularmente forte nos Estados Unidos, e do qual encontramos uma das mais importantes realizações nos trabalhos de Marshall Sahlins (1980), insiste notadamente sobre o seguinte ponto: prolongar a problemática,

---

1. Se praticamente toda a antropologia do século XX teve tendência, até recentemente, a considerar que as sociedades "tradicionais" são sociedades imutáveis, tal tendência é provavelmente mais forte na França, devido notadamente à preocupação de muitos etnólogos de nosso país em relação aos sistemas mítico-cosmológicos. Disso decorre a reação que leva na França um certo número de pesquisadores (Bastide, Desroche, Balandier, Thomas ...) a libertarem-se desse ponto de vista considerado passadista e a preferirem a terminologia de "sociologia".

2. Os antropólogos americanos não são os únicos a participar hoje da reabilitação de Morgan. Cf. por exemplo, na França, Terray (1969), Makarius (1971), Panoff (1977).

já instaurada por Morgan há um século, mas sobre bases dessa vez indiscutivelmente etnológicas, que não devem mais nada às reconstituições hipotéticas do século XIX e que permitem pensar numa evolução resolutamente "plural" da humanidade.

Não é evidentemente possível, dentro do quadro limitado deste trabalho, dar conta da riqueza e diversidade das pesquisas que de uma forma ou de outra participam hoje do desenvolvimento extremamente ativo dessa antropologia que qualificamos de dinâmica. Seria conveniente, por exemplo, falar dos trabalhos de Max Gluckman (1966), de Jacques Bergue (1964), ou ainda, da contribuição de um certo número de antropólogos franceses de orientação marxista, que notadamente renovaram, durante os últimos 25 anos, a área da antropologia econômica.[3] Dois autores irão deter mais demoradamente nossa atenção: Georges Balandier e Roger Bastide.

Uma das preocupações de Balandier, desde a publicação de suas primeiras obras sobre a África negra (1955), é mostrar que convém interessar-se por *todos* os atores sociais presentes (não mais apenas os "indígenas", mas também os missionários, os administradores e outros agentes da colonização), pois todos fazem parte do campo de investigação do pesquisador. Por outro lado, Balandier nos propõe uma crítica radical da noção de "integração" social, que seria localizável a partir da observação de grupos sociais "preservados". Considera, pelo contrário, que toda sociedade é "problemática". Ou seja, da mesma forma que Griaule havia, como dissemos, mostrado que o complexo não é um produto derivado de formas originais — que seriam, por sua vez, perturbadas de fora por um dinamismo característico apenas das nossas sociedades. Mas a comparação entre Griaule e Balandier para evidentemente aí. O primeiro efetua o levantamento de uma tradição ancestral, concebida por ele como quase imutável, enquanto o segundo coloca as bases de uma teoria da

---

3. Cf. Cl. Meillassoux (1964), E. Terray (1969), P. P. Rey (1971), M. Godelier (1973).

APRENDER ANTROPOLOGIA 145

mudança social que o levará a empreender, no decorrer de suas obras a constituição de uma *antropologia da modernidade.*

Essa perspectiva de um estudo da mudança social integrado ao próprio objeto de investigação do pesquisador não tinha sido, na realidade, totalmente ausente da cena antropológica da metade do século XX. Convém lembrar que, antes mesmo da Primeira Guerra Mundial, Malinowski, renunciando à atitude romântica que era sua na época de suas estadias nas ilhas Trobriand, envolve-se, no final de sua vida, em uma perspectiva dinâmica (1970). E o mesmo se dá, na mesma época e em muitos aspectos, para a reflexão de Margaret Mead, assim como para os trabalhos da antropologia cultural que se desenvolve durante o pós-guerra. Mas os conceitos que são então utilizados (especialmente nos Estados Unidos) para dar conta da mudança, são sempre conceitos neutros, dissimulando uma realidade colonial. Fala-se em "contatos culturais", " choques culturais", e sobretudo em "aculturação", terminologia que fará sucesso. Balandier propõe a substituição pura e simples deste último termo pelo de *"situação colonial",* que implica a realidade de uma relação social de dominação, quase sempre sistematicamente ocultada na antropologia clássica.

A partir disso, não se fala mais em primitivos ou selvagens e sim em "povos colonizados", enquanto o processo da colonização, e depois, da descolonização, se torna parte integrante do campo que se deve estudar. Esse processo, ou outros semelhantes, é que nos permitem apreender não apenas as mudanças estruturais em andamento, mas as respostas às mudanças tais como se elaboram, por exemplo, nas metrópoles congolesas, sob a forma de movimentos messiânicos (Ralandier, 1955),[4] ou tais como estou observando neste momento em Fortaleza, no Nordeste do Brasil, sob a forma de cultos sincréticos.

---

4. Cf. também V. Lanternari (1962), W. E. Muhlmann (1968), P. Lawrence (1974).

146 A ANTROPOLOGIA DINÂMICA

A obra de Roger Bastide aparece ao mesmo tempo muito próxima e muito diferente da anterior. Muito diferente em primeiro lugar, porque a abordagem desse autor inscreve-se claramente, como vimos acima, no horizonte da antropologia cultural. Mas Bastide, tanto quanto Balandier, procura incluir os diferentes protagonistas sociais no campo de seu objeto de estudo. Ademais, também insiste, de um lado, sobre as mudanças sociais ligadas à dinâmica própria de uma determinada cultura; de outro, sobre a interpenetração das civilizações, que provoca um movimento de transformações ininterruptas.

Todas essas pesquisas, mais uma vez frequentemente muito diferentes umas das outras, inscrevem-se plenamente no projeto mesmo da antropologia, que é dar conta das variações, isto é, notadamente das mudanças. Uma de suas maiores contribuições é de ter participado de forma considerável do deslocamento das preocupações tradicionais dos etnólogos, e de ter aberto novos lugares de investigação: a *cidade* em especial, lugar privilegiado de observação dos conflitos, das tensões sociais e das reestruturações em andamento (cf. quanto a isso, além dos trabalhos de Balandier citados acima, Oscar Lewis (1963), Paul Mercier (1954) e Jean-Marie Gibbal (1974)).

Correlativamente, essa antropologia da modernidade (segundo a expressão de Balandier), que instaura uma ruptura com a tendência intelectualista da etnologia francesa, leva o pesquisador a interessar-se diretamente pela sua própria sociedade. Finalmente, enfatizando a realidade conflitual das situações de dependência (econômica, tecnológica, militar, linguística...), ela não opera apenas uma transformação do objeto de estudo, mas inicia uma verdadeira mutação da prática da pesquisa.

Dito isso, se essa antropologia reorienta, "complexifica" e "problematiza" a antropologia clássica, seria no entanto irrisório pensar que a abole.

TERCEIRA PARTE

A ESPECIFICIDADE
DA PRÁTICA ANTROPOLÓGICA

1. UMA RUPTURA METODOLÓGICA:
a prioridade dada à experiência pessoal do "campo"

A abordagem antropológica de base, que todo pesquisador considera hoje incontornável, quaisquer que sejam suas opções teóricas, provém de uma ruptura inicial em relação a qualquer modo de conhecimento abstrato e especulativo, isto é, que não estaria baseado na *observação direta dos comportamentos sociais a partir de uma relação humana.*

Não se pode, de fato, estudar os homens à maneira do botânico examinando a samambaia ou do zoólogo observando o crustáceo; só se pode fazê-lo *comunicando-se com eles,* o que supõe que se compartilhe sua existência de maneira durável (Griaule, Leenhardt) ou transitória (Lévi-Strauss). Pois a etnografia, que é fundadora da etnologia e da antropologia — a tal ponto que alguns dos mestres de nossa disciplina (estou pensando particularmente em Boas) consideram que toda síntese é sempre prematura, e que alguns ainda hoje preferem qualificar--se de "etnógrafos" (J. Favret, 1977) — não consiste apenas em coletar, através de um método estritamente indutivo, uma grande quantidade de informações, mas em impregnar-se dos temas obsessionais de uma sociedade, de seus ideais, de suas angústias. O etnógrafo é aquele que deve ser capaz de viver nele mesmo a tendência principal da cultura que estuda. Se, por exemplo, a sociedade tem preocupações religiosas, ele próprio deve rezar com seus anfitriões. Para poder compreender o candomblé, "foi--me preciso mudar completamente minhas categorias lógicas", escreve Roger Bastide (1978), acrescentando: "Eu procurava uma compreensão mineralógica e, mais ainda, análoga a organizações vegetais e cipós vivos".

Assim, a etnografia é antes a experiência de uma imersão total, consistindo em uma verdadeira *aculturação invertida,* na qual, longe de compreender uma sociedade apenas em suas manifestações "exteriores"(Durkheim), devo interiorizá-la nas significações que os próprios indivíduos atribuem a seus comportamentos. Quanto a isso, é significativo que, em sua *Lição inaugural no Collège de France,* o autor da *Antropologia estrutural* comece sua exposição por uma "homenagem" ao "pensamento supersticioso", proclame que "contra o teórico, o observador deve ficar com a última palavra; e contra o observador, o indígena", e termine seu discurso insistindo sobre tudo o que deve a esses índios do Brasil, de quem se considera um "aluno".

Essa apreensão da sociedade tal como é percebida de dentro pelos atores sociais com os quais mantenho uma relação direta (apreensão esta que não é de forma alguma exclusiva da evidenciação daquilo que lhes escapa, mas que, pelo contrário, abre o caminho para essa etapa ulterior da pesquisa), é que distingue essencialmente a prática etnológica — prática do campo — da do historiador ou do sociólogo. O historiador, de fato, se procura, como o etnólogo, dar conta o mais cientificamente possível da alteridade com a qual é confrontado, nunca entra em contato direto com os homens e mulheres das sociedades que estuda. Recolhe e analisa os testemunhos. Nunca encontra testemunhas vivas. Quanto à prática da sociologia, *pelo menos em suas principais tendências clássicas,* várias características a distinguem da prática etnológica considerada sob o ângulo que detém aqui nossa atenção.

1) Comporta um distanciamento em relação a seu objeto, algo frio e "desencarnado", como diz Lévi-Strauss a respeito do pensamento durkheimiano.

2) Diante de qualquer problema que lhe seja apresentado, parece ser capaz de encontrar uma explicação e fornecer soluções. Objetar-se-á que pode, é claro, ser o caso do etnólogo. Com a diferença, porém, de que este se esforça, por razões metodológicas (e evidentemente afetivas), em colocar-se o mais perto possível do que é vivido por homens de carne e osso, arriscando-se a perder em algum momento sua identidade e a não voltar totalmente ileso dessa experiência.

3) O etnólogo evita, não apenas por temperamento mas também em consequência da *especificidade do modo de conhecimento que persegue,* uma programação estrita de sua pesquisa, bem como a utilização de protocolos rígidos, de que a sociologia clássica pensou poder tirar tantos benefícios científicos. A busca etnográfica, pelo contrário, tem algo de errante. As tentativas abordadas, os erros cometidos no campo, constituem informações que o pesquisador deve levar em conta, bem como o encontro que surge frequentemente com o imprevisto, o evento que ocorre quando não esperávamos.

Não nos enganemos, porém, quanto às virtudes do campo. Da mesma forma que o fato de ter alcançado uma cura analítica não garante que você possa um dia se tornar psicanalista; um grande número de temporadas passadas em contato com uma sociedade que se procura compreender não o transformará *ipso facto* em um etnólogo. Trata-se porém de condições necessárias. Pois a prática antropológica só pode se dar com uma *descoberta* etnográfica, isto é, com uma experiência que comporta uma parte de aventura pessoal.

2. UMA INVERSÃO TEMÁTICA:
o estudo do infinitamente pequeno e do cotidiano

A história e a sociologia clássica dão uma prioridade quase sistemática à sociedade global, bem como às formas de atividades instituídas. Assim, por exemplo, quando estudam as associações voluntárias, privilegiam nitidamente as *grandes,* suscetíveis de influenciar diretamente a (grande) política: os partidos, os sindicatos... em detrimento das associações de menor importância numérica, como as associações religiosas e sobretudo as formas menos organizadas de socialidade. Nessas condições, a vida cotidiana dos homens torna-se uma espécie de resíduo irrisório, a não ser em se tratando (para o historiador) da vida dos "grandes homens". Os fenômenos sociais não escritos, não formalizados, não institucionalizados (isto é, na realidade, a maior parte de nossa existência) são então rejeitados para o registro inconsistente do "folclore".

A abordagem etnológica consiste precisamente em dar uma atenção toda especial a esses materiais residuais que foram durante muito tempo considerados como indignos de uma ativi-

APRENDER ANTROPOLOGIA   153

dade tão nobre quanto a atividade científica.[1] É uma abordagem claramente *microssociológica,* que privilegia dessa vez o que é aparentemente secundário em nossos comportamentos sociais.

Disso resulta um deslocamento radical dos centros de interesse tradicionais das ciências sociais, para o que chamarei de infinitamente pequeno e cotidiano. As doutrinas, as construções intelectuais, as produções do pensamento erudito (filosófico, teológico, científico...) são, nessa perspectiva, consideradas menos como iluminadoras do que como devendo ser iluminadas. Assim, a atenção do pesquisador passa a interessar-se para as condutas mais habituais e, em aparência, mais fúteis: os gestos, as expressões corporais, os hábitos alimentares e higiene, a percepção dos ruídos da cidade e dos ruídos dos campos...

Embora o objeto empírico da etnologia não se confunda com o campo aberto pela colonização, as preocupações dos etnólogos me parecem indefectivelmente ligadas a um certo número de critérios, que permitem definir as sociedades nas quais nossa disciplina nasceu: grupos de pequena dimensão, nos quais as relações (exclusiva ou essencialmente orais) são personalizadas ao extremo. O problema que se vê aqui colocado é evidentemente o seguinte: como fará o etnólogo quando se vir confrontado a sociedades gigantescas, nas quais a comunicação aparece como cada vez mais anônima? Resposta: ele vai em primeiro lugar procurar, dentro dessas sociedades, se não encontra objetos empíricos capazes de lembrar-lhe os bons tempos da etnologia clássica. E, é um fato, voltar-se-á em primeiro lugar para a comunidade camponesa (e não para a cidade industrial), para a família tradicional (e não para a família desmembrada), para as

---

1.Trata-se evidentemente menos, no caso, da ciência, do que de uma de suas vestimentas ideológicas que escolhe os fatos estudados de acordo com critérios e pertinências estranhas a qualquer preocupação científica, e os batiza de "históricos", a partir da representação mestra do acesso progressivo das sociedades humanas a um maior bem-estar, a mais justiça, consciência e razão.

154 UMA INVERSÃO TEMÁTICA

pequenas confrarias religiosas (e não para as grandes organizações sindicais), e, em seguida, para as populações desenraizadas (e não para a burguesia decadente). Em suma, seus objetos de predileção serão os grupos sociais que se situam mais *no exterior* da sociedade global do observador: os que qualificamos de *marginais:* camponeses bretões, feiticeiros do Berry adeptos de seitas religiosas...[2]

Dito isso, convém distinguir (mas não dissociar) as questões de fato e as de direito. Se, de fato, o etnólogo tende a estudar as formas de comportamento e sociabilidade mais descentradas em relação à ideologia dominante da sociedade global à qual pertence, não há, de direito, propriamente *nenhum território da etnologia.* E as diferenças entre os modos de vida e de pensamento são tão localizáveis nas nossas sociedades (constituídas de múltiplos subgrupos extremamente diversificados, e nos quais várias ideologias estão em concorrência) quanto nas sociedades qualificadas de "tradicionais". "Se o etnólogo", como escreve Lévi-Strauss (1958), "interessa-se sobretudo por aquilo que não é escrito" (e também, acrescentaremos, por aquilo que não é formalizado e institucionalizado), "não é tanto porque os povos que estuda são incapazes de escrever, mas porque aquilo que o interessa é diferente de tudo que os homens pensam habitualmente em fixar na pedra e no papel."

Convém, portanto, deixar de colocar o problema das relações da sociologia e da etnologia sobre as bases empíricas das "sociedades industriais" e das "sociedades tradicionais" (mesmo incluindo-se os lados "tradicionais" existentes dentro das primeiras), pois *a etnologia não tem objeto que lhe seja próprio* (e que poderia ser-lhe *ipso facto* designado pelo caráter "pri-

---

2. Essa predileção pelos abandonados (*laissés-pour-compte*) (ou adversários) do progresso — o estudo dos indigentes sucedendo ao dos indígenas — aparece claramente na área não exótica da antropologia americana, que dá uma atenção toda especial aos guetos negros ou porto-riquenhos dos Estados Unidos.

mitivo" ou "tradicional" das sociedades estudadas), e sim uma abordagem, um enfoque particular, um olhar, ao meu ver, absolutamente único no campo das ciências humanas, e passível de ser aplicado a *toda* realidade social.

O que me parece importante sublinhar, finalmente, é que grande parte da renovação das ciências humanas contemporâneas deve-se incontestavelmente a sua abertura para nossa disciplina, que as influenciou (direta ou indiretamente) designando-lhes novos terrenos de investigação e convencendo-as de que não deve haver, na prática científica, objeto tabu. Assim, as ciências das religiões não consideram mais o cristianismo "ao nível das doutrinas e dos doutores, e sim das multidões anônimas", como escreve Jean Delumeau. A arquitetura começa a perceber que o estudo dos monumentos "de estilo" forma apenas uma parte ínfima do hábitat, e a reabilitar todo esse "recalcado" da cultura material que é, no caso, o hábitat popular. Um deslocamento absolutamente análogo pode ser encontrado em qualquer área: a arqueologia, por exemplo, está passando do estudo dos palácios, templos e túmulos imperiais para o conjunto do meio ambiente construído, inclusive o mais humilde, sendo este a expressão de uma cultura que se procura compreender nos seus mínimos detalhes.

Mas é sobretudo na história, ao meu ver, que assistimos a um deslocamento radical do campo da curiosidade. Trata-se de ir do público para o privado, do Estado para o parentesco, dos "grandes homens" para os atores anônimos, e dos grandes eventos para a vida cotidiana. Sob a influência da escola dos *Annales,* a história contemporânea, pelo menos na França, tornou-se uma história antropológica, isto é, uma história das mentalidades e sensibilidades, uma história da cotidianidade material.

3. UMA EXIGÊNCIA:

o estudo da totalidade

Uma das características da abordagem antropológica é que se esforça em levar tudo em conta, isto é, de estar atenta para que nada lhe tenha escapado. No campo, *tudo* deve ser observado, anotado, vivido, mesmo que não diga respeito diretamente ao assunto que pretendemos estudar. De um lado, o menor fenômeno deve ser apreendido na multiplicidade de suas dimensões (todo comportamento humano tem um aspecto econômico, político, psicológico, social, cultural...). De outro, só adquire significação antropológica sendo relacionado à sociedade como um todo na qual se inscreve e dentro da qual constitui um sistema complexo. Como escreve Mauss (1960), "o homem é indivisível" e "o estudo do concreto" é "o estudo do completo".

É a razão pela qual toda abordagem que consistir em isolar experimentalmente objetos não cabe no modo de conhecimento próprio da antropologia, pois o que esta pretende estudar é o próprio contexto no qual se situam esses objetos, é a rede densa das interações que estas constituem com a totalidade social em movimento.

APRENDER ANTROPOLOGIA 157

A especialização científica é mais problemática para o antropólogo do que para qualquer outro pesquisador em ciências humanas. O antropólogo não pode, de fato, se tornar um especialista, isto é, um perito de tal ou tal área particular (econômica, demográfica, jurídica...) sem correr o risco de abolir o que é a base da própria especificidade de sua prática. As ciências políticas se dão por objeto de investigação um certo aspecto do real: as instituições que regem as relações do poder; as ciências econômicas, um outro: os sistemas de produção e troca de bens; as ciências jurídicas, o direito; as ciências psicológicas, os processos cognitivos e afetivos; as ciências religiosas, os sistemas de crença... Mas todos estes são para o antropólogo fenômenos parciais, isto é, abstrações em relação ao enfoque não parcelado que orienta sua abordagem. O parcelamento disciplinar comporta, de fato, no horizonte científico contemporâneo, um risco essencial: o de um desmantelamento do homem em produtor, consumidor, cidadão, parente... Assim, por exemplo, a pesquisa sociológica está cada vez mais especializada: estuda fenômenos particulares: a delinquência, a criminalidade, o divórcio, o alcoolismo... e o pesquisador tende a se tornar o especialista de um campo exclusivo: sociologia dos lazeres, do esporte, das condutas suicidas...

A própria antropologia, é claro, é frequentemente levada a participar desse processo que pode causar uma verdadeira mutilação do ser humano, de que se procura, em um segundo tempo (a pluridisciplinaridade), costurar de novo os retalhos recortados. Mas permanece, a meu ver, dentro do espaço da cultura científica (e não da cultura humanista, como pode ser a cultura filosófica ou literária), um lugar privilegiado a partir do qual ainda se pode perceber que toda prática hiperespecializada, através da fragmentação e do desmembramento que impõe ao real, acaba destruindo o próprio objeto que pretendia estudar.

Pessoalmente, a antropologia me parece ser o antídoto não filosófico de uma concepção tayloriana da pesquisa, que consiste em: 1) cumprir sempre a mesma tarefa, ser o especialista de uma única área; 2) tentar, de uma maneira pragmática, modificar, ou até transformar os fenômenos que se estuda. O drama das ciências humanas contemporâneas é a fratura entre uma atitude extremamente reflexiva (a da filosofia ou da moral) mas que corre o risco de cair no vazio, dada a fraca positividade de seus objetos de investigação, e uma cientificidade extremamente positiva, mas pouco reflexiva, por estar baseada no parcelamento de territórios e, voltaremos a isso, sobre uma forma de objetividade que as próprias ciências exatas descartaram há muito tempo.[1]

Essa preocupação que tem a antropologia de dar conta, a partir de um fenômeno concreto singular, do multidimensionamento de seus aspectos e da totalidade complexa na qual se inscreve e adquire sua significação inconsciente, está relacionada à abordagem menos diretiva e programática da própria prática etnográfica, comparada a outros modos de coleta de informações: trata-se, de fato, para nós, além de todos os questionários, por mais aperfeiçoados que sejam, de fazer surgir um questionamento mútuo. Tal preocupação diz respeito também, mais uma vez, à natureza das sociedades nas quais se desenvolveu nossa disciplina: conjuntos relativamente homogêneos, nos quais as atividades são pouco especializadas, e que se dão uma ideologia mestra (de tipo mitológico) dando conta da totalidade social.

A prática da antropologia, finalmente, baseada sobre uma extrema proximidade em relação à realidade social estudada, supõe também, paradoxalmente, um grande distanciamento (em relação à sociedade que procuro compreender, em relação à so-

---

1. Não posso deixar de recomendar particularmente, a respeito desse aspecto, a leitura da obra de um sociólogo, Edgar Morin (1974), e em especial do capítulo intitulado "Da pauperização das ideias gerais em um meio especializado".

A especialização científica é mais problemática para o antropólogo do que para qualquer outro pesquisador em ciências humanas. O antropólogo não pode, de fato, se tornar um especialista, isto é, um perito de tal ou tal área particular (econômica, demográfica, jurídica...) sem correr o risco de abolir o que é a base da própria especificidade de sua prática. As ciências políticas se dão por objeto de investigação um certo aspecto do real: as instituições que regem as relações do poder; as ciências econômicas, um outro: os sistemas de produção e troca de bens; as ciências jurídicas, o direito; as ciências psicológicas, os processos cognitivos e afetivos; as ciências religiosas, os sistemas de crença... Mas todos estes são para o antropólogo fenômenos parciais, isto é, abstrações em relação ao enfoque não parcelado que orienta sua abordagem. O parcelamento disciplinar comporta, de fato, no horizonte científico contemporâneo, um risco essencial: o de um desmantelamento do homem em produtor, consumidor, cidadão, parente... Assim, por exemplo, a pesquisa sociológica está cada vez mais especializada: estuda fenômenos particulares: a delinquência, a criminalidade, o divórcio, o alcoolismo... e o pesquisador tende a se tornar o especialista de um campo exclusivo: sociologia dos lazeres, do esporte, das condutas suicidas...

A própria antropologia, é claro, é frequentemente levada a participar desse processo que pode causar uma verdadeira mutilação do ser humano, de que se procura, em um segundo tempo (a pluridisciplinaridade), costurar de novo os retalhos recortados. Mas permanece, a meu ver, dentro do espaço da cultura científica (e não da cultura humanista, como pode ser a cultura filosófica ou literária), um lugar privilegiado a partir do qual ainda se pode perceber que toda prática hiperespecializada, através da fragmentação e do desmembramento que impõe ao real, acaba destruindo o próprio objeto que pretendia estudar.

Pessoalmente, a antropologia me parece ser o antídoto não filosófico de uma concepção tayloriana da pesquisa, que consiste em: 1) cumprir sempre a mesma tarefa, ser o especialista de uma única área; 2) tentar, de uma maneira pragmática, modificar, ou até transformar os fenômenos que se estuda. O drama das ciências humanas contemporâneas é a fratura entre uma atitude extremamente reflexiva (a da filosofia ou da moral) mas que corre o risco de cair no vazio, dada a fraca positividade de seus objetos de investigação, e uma cientificidade extremamente positiva, mas pouco reflexiva, por estar baseada no parcelamento de territórios e, voltaremos a isso, sobre uma forma de objetividade que as próprias ciências exatas descartaram há muito tempo.[1]

Essa preocupação que tem a antropologia de dar conta, a partir de um fenômeno concreto singular, do multidimensionamento de seus aspectos e da totalidade complexa na qual se inscreve e adquire sua significação inconsciente, está relacionada à abordagem menos diretiva e programática da própria prática etnográfica, comparada a outros modos de coleta de informações: trata-se, de fato, para nós, além de todos os questionários, por mais aperfeiçoados que sejam, de fazer surgir um questionamento mútuo. Tal preocupação diz respeito também, mais uma vez, à natureza das sociedades nas quais se desenvolveu nossa disciplina: conjuntos relativamente homogêneos, nos quais as atividades são pouco especializadas, e que se dão uma ideologia mestra (de tipo mitológico) dando conta da totalidade social.

A prática da antropologia, finalmente, baseada sobre uma extrema proximidade em relação à realidade social estudada, supõe também, paradoxalmente, um grande distanciamento (em relação à sociedade que procuro compreender, em relação à so-

---

1. Não posso deixar de recomendar particularmente, a respeito desse aspecto, a leitura da obra de um sociólogo, Edgar Morin (1974), e em especial do capítulo intitulado "Da pauperização das ideias gerais em um meio especializado".

ciedade à qual pertenço). É a razão pela qual somos provavelmente, enquanto antropólogos, mais tocados do que outros, e, em primeiro lugar, mais surpreendidos, pela disjunção histórica absolutamente singular única até na história da humanidade, que nossa própria cultura realizou entre a ciência e a moral, a ciência e a religião, a ciência e a filosofia.

Se olharmos de mais perto, esta última disciplina não é mais hoje um pensamento da totalidade dando-se como objetivo compreender os múltiplos aspectos do homem. Como escreve Lévi-Strauss, apenas três formas de pensamento são, no mundo contemporâneo, capazes de responder a essa definição: o islamismo, o marxismo e a antropologia. O projeto antropológico retoma, a meu ver, hoje, sobre bases completamente diversas (não mais a especulação sobre as categorias do espírito humano, mas a observação direta de suas produções concretas), o projeto que foi o da filosofia clássica. É a razão pela qual muitos entre nós se recusam a entrar nas vias de uma hiperespecialização, podendo tornar-se, como mostrou Husserl, antagonista da reflexão, e podendo até, como sugere hoje em dia Laborit, chegar a impedir o próprio exercício do pensamento.

4. UMA ABORDAGEM:
a análise comparativa

Está ligada à problemática maior de nossa disciplina que é
a da diferença, implicando uma descentração radical em relação
à sociedade de que faz parte o observador, isto é, uma ruptura
com qualquer forma, dissimulada ou deliberada, de etnocentrismo, pois, apenas o que percebemos (em estado manifesto ou
latente) em uma outra sociedade nos permite visualizar o que
está em jogo na nossa, mas que não suspeitávamos. Essa experiência de arrancamento de si próprio age, na realidade, como
um verdadeiro revelador de si. Cada um já notou que, quando
uma criança nasce, os parentes e amigos da família endereçam
seus cumprimentos ao novo pai. Esse costume aparentemente
insignificante ganha todo seu significado se o olharmos à luz da
couvade, praticada, por exemplo, na África, e que se encontrava também na França, notadamente na Borgonha, até o início
do século. Tudo se passa como se a parturiente não fosse outra
senão o próprio pai. Participando efetivamente do nascimento
da criança, o marido recupera seus direitos de paternidade (nas
sociedades, notadamente, nas quais o parentesco biológico é
dissociado da paternidade social) e se vê totalmente integrado a

APRENDER ANTROPOLOGIA 161

sua própria família, e adquire com isso um estatuto de perfeito genitor.

Todos nós participamos, pelo menos uma vez na vida, da inauguração de um edifício: amigos nos convidaram para festejar a entrada em uma nova casa ou em um novo apartamento. Ora, esse cerimonial, também bastante insignificante, permanece totalmente incompreensível se não o relacionarmos às cerimônias de apropriação do espaço que, nas sociedades tradicionais, consistem no sacrifício de um animal ou numa libação de álcool aos espíritos. O mesmo se dá quando nos interessamos pela defesa de uma tese de doutorado, que adquire todo o seu significado a partir do momento em que a confrontamos com os ritos de iniciação e passagem que pudemos observar em outras sociedades.[1] Poderíamos multiplicar os exemplos: o estudo dos jovens de Samoa que permite a Margaret Mead dar conta dos comportamentos de crise dos adolescentes americanos; o da feitiçaria entre os Azandé do Sudão que permite a Evans-Pritchard compreender alguns aspectos do comunismo soviético. Este mestre da antropologia britânica recomendava a seus alunos o estudo de duas sociedades a fim de evitar, dizia ele, o que aconteceu a Malinowski: "pensar durante toda a sua vida em função de um único tipo de sociedade", no caso, os Trobriandeses.

Ora, temos de reconhecer que *a maioria dos etnólogos de hoje não é formada por antropólogos*. Suas pesquisas tratam de uma cultura particular, ou até de um segmento, de um aspecto dessa cultura, na melhor das hipóteses de algumas *variedades* de *culturas,* mas quase nunca do estudo dos processos de *variabilidade* da cultura.

A abordagem comparativa — que se confunde com a própria antropologia — é uma das mais ambiciosas e exigentes que

---

1. É nessa perspectiva que Maurice Leenhardt, após ter trabalhado durante mais de vinte anos na Nova Caledônia e de ter estado na África, escreve: "A África me ensinou muito sobre a Oceania".

162 UMA ABORDAGEM

há. Mas antes de examinar os problemas que coloca e as dificuldades que encontra, convém lembrar algumas grandes posições que balizam a história de nossa disciplina.

A primeira forma de comparatismo — o evolucionismo — ordena os fatos colhidos dentro de um discurso que se apresenta como histórico. Confrontando essencialmente costumes (cf. especialmente Frazer), procura reconstituir uma evolução hipotética das sociedades humanas (de *todas* as sociedades) na ausência de documentos históricos. As extrapolações e generalizações que operam os pesquisadores-eruditos desse período vão aparecendo aos poucos como tão abusivas que praticamente, toda a etnologia posterior (a ruptura epistemológica introduzida nos anos 1910-1920 por Boas e Malinowski) irá adotar uma posição radicalmente anticomparativa. Com o funcionalismo, a sociedade estudada adquire uma autonomia não apenas empírica, mas também teórica. Não se trata mais de comparar as sociedades entre si, mas de mostrar, por meio de monografias, como se realiza a integração das diferenças funções em jogo em uma mesma sociedade.[2]

Se o projeto da antropologia cultural é, de fato, o de confrontar os comportamentos humanos os mais diversificados, de uma área geográfica para outra — não mais por uma "periodização" no tempo, como na época de Morgan, mas, preferencialmente, por uma extensão no espaço —, o postulado da irredutibilidade de cada cultura termina impedindo o próprio empreendimento da comparação. Detenhamo-nos sobre esse ponto que é, ao meu ver, essencial. Claro, são as variações que interessam em primeira instância ao antropólogo; mas, para serem estudadas antropologicamente, e não mais apenas etnograficamente, essas variações devem ser relacionadas a um certo número de

---

2. O que leva o antropólogo americano Murdock a dizer que a maioria dos antropólogos britânicos, deixando de lado o estudo das diferenças entre as civilizações, não é de antropólogos, e sim de sociólogos.

invariantes, pois é precisamente o estabelecimento dessa relação que fundamenta a própria abordagem da comparação, tão característica de nossa disciplina.

O empreendimento gigantesco dos *Human Relations Area Files,* elaborado por Murdock e seus colaboradores a partir de 1937 é, a esse respeito, representativo. Visa estudar o leque mais completo possível dos comportamentos e instituições humanos, a partir de correlações entre um grande número de variáveis (das técnicas materiais às representações religiosas) em 75 culturas diferentes. Mas esse programa, devido a sua própria preocupação de exaustividade, coloca, na realidade, mais problemas do que soluções.

Esses exemplos mostram que, entre a tentação de um comparatismo sistemático (como no evolucionismo) e o ceticismo geral dos que consideram prematuro, quando não impossível, qualquer empreendimento de comparação (é a posição de Boas), o caminho é dos mais estreitos. O próprio empreendimento que orienta a antropologia supõe a tomada em consideração de uma humanidade "plural". Mas como dar conta de fenômenos que não pertencem às mesmas sociedades e não se inscrevem no mesmo contexto? Como conceber ao mesmo tempo, sem arriscar-se a ultrapassar os limites de uma abordagem que se quer científica, as instituições políticas dos habitantes da Patagônia e as dos groenlandeses, os ritos religiosos dos Banto e os dos índios da Amazônia?

Lembremos em primeiro lugar que a análise comparativa não é a primeira abordagem do antropólogo. Este deve passar pelo caminho lento e trabalhoso que conduz da coleta e impregnação *etnográfica* à compreensão da lógica própria da sociedade estudada (etnologia). Em seguida, apenas poderá interrogar-se sobre a lógica das variações da cultura (antropologia). Vale dizer que o pesquisador deve ter uma prudência considerável. Antes de serem confrontados uns aos outros, os materiais recolhidos devem ser meticulosamente criticados. Pois, se começarmos

164 UMA ABORDAGEM

comparando os costumes de dada população africana com os de tal outra europeia, chegaremos apenas a evidenciar algumas analogias. Mas então, como diz Kroeber, as "universalidades" encontradas poderiam muito bem ser apenas a projeção de "categorias lógicas" próprias somente da sociedade do observador. Assim o evolucionismo comparava o que via (ou, na maior parte das vezes, o que outros se encarregavam de ver por procuração) nas sociedades "primitivas", com o que sabia (ou melhor, supunha saber) de nossa própria sociedade. Disso decorrem as analogias que não faltaram entre os aborígines australianos e os habitantes da Europa na Idade da Pedra.[3]

Se a antropologia contemporânea é tão comparativa quanto no passado, não deve mais nada à abordagem do comparatismo dos primeiros etnólogos. Não utiliza mais os mesmos métodos e não tem mais o mesmo objeto. O que se compara hoje são costumes, comportamentos, instituições, não mais isolados de seus contextos, e sim fazendo parte destes: são *sistemas de relação*. A partir de uma descrição (etnografia), e depois, de uma análise (etnologia) de tal instituição, tal costume, tal comportamento, procura-se descobrir progressivamente o que Lévi-Strauss chama de "estrutura inconsciente", que pode ser encontrada na forma de um arranjo diferente em uma outra instituição, um outro costume, um outro comportamento. Ou seja, os termos da comparação não podem ser a realidade dos fatos empíricos em si,[4]

---

3. "Se postulamos apressadamente a homogeneidade do campo social e nos confortamos na ilusão de que este é imediatamente comparável em todos os seus aspectos e níveis, deixaremos escapar o essencial. Desconheceremos que as coordenadas necessárias para definir dois fenômenos aparentemente muito semelhantes, não são sempre as mesmas, nem estão sempre em mesmo número; e pensaremos estar formulando as leis da natureza social, quando estaremos nos limitando a descrever propriedades superficiais ou a enunciar tautologias", escreve Lévi-Strauss (1973).

4. O etnólogo contemporâneo é infinitamente mais modesto que seus predecessores. Ele não procura atingir a *natureza* da arte, da religião, do parentesco, nem em geral e nem mesmo em particular.

mas sistemas de relações que o pesquisador constrói, enquanto hipóteses operatórias, a partir desses fatos. Em suma, as diferenças nunca são dadas, são recolhidas pelo etnólogo, confrontadas umas com as outras, e aquilo que é finalmente comparado é o sistema das diferenças, isto é, dos conjuntos estruturados.[5]

---

5. "Só é estruturado um arranjo que preencha duas condições: é um sistema regido por uma coesão interna; e essa coesão — que é imperceptível à observação de um sistema isolado — se revela no estudo das transformações, graças às quais descobrimos propriedades similares em sistemas aparentemente diferentes", escreve Lévi-Strauss (1973).

5. AS CONDIÇÕES DE PRODUÇÃO SOCIAL DO DISCURSO ANTROPOLÓGICO

A antropologia nunca existe em estado puro. Seria ingênuo, sobretudo da parte de um antropólogo, isolá-la de seu próprio contexto. Seria paradoxal, sobretudo para uma prática da qual um dos objetivos é *situar* os comportamentos dos que ela estuda em uma cultura, classe social, Estado, nação, ou momento da história, deixar de aplicar a si próprio o mesmo tratamento. Como escreve Lévi-Strauss, "se a sociedade está na antropologia, a antropologia por sua vez está na sociedade" (1973). Seu atestado de nascimento inscreve-se em uma determinada época e cultura. Em seguida, transforma-se, em contato com as grandes mudanças sociais que se produzem, e se torna, um século depois, praticamente irreconhecível. Convém, portanto, interrogar-se agora, não mais sobre o saber etnológico em si, que nunca é um produto acabado, mas sobre suas condições de produção, pois o estudo dos textos etnológicos nos informa tanto sobre a sociedade do observador quanto sobre a do observado.

Retomemos rapidamente aqui, dentro dessa nova perspectiva, alguns exemplos estudados anteriormente. O que interessa à antropologia filosófica do século XVIII nas sociedades da "natureza", é que estas podem dar ao Ocidente lições sobre a natureza das sociedades, e permitir fundar um novo "contrato social". A antropologia evolucionista que lhe sucede está estreitamente ligada às práticas coloniais conquistadoras da época vitoriana. Sustentada pelo ideal de uma missão civilizadora (a certeza que se tem de si), consiste na racionalização do expansionismo colonial. O funcionalismo, por sua vez, empresta seu vocabulário às ciências da natureza que lhe parecem a garantia da cientificidade. Mas o objeto da antropologia não leva em conta as práticas coloniais, ao contrário do evolucionismo, que as justificava, e de outras formas de antropologia que as combatem. Um último exemplo nos será dado pela antropologia americana em sua tendência culturalista. O "relativismo cultural", termo forjado por Herskovitz, é qualificado por este de "resultado das ciências humanas". Mas está, na realidade, ligado à crise histórica do pensamento teórico do Ocidente confrontado com a alteridade. Além disso, o caráter nitidamente mais anticolonialista dessa antropologia, comparando-a com a antropologia britânica ou francesa, explica-se notadamente pelo fato de que os Estados Unidos nunca tiveram colônias (mas apenas minorias étnicas). Seria conveniente, afinal, perguntar-se por que essa preocupação pelas "colorações nacionais" de nossos comportamentos, em detrimento do funcionamento de nossas instituições, foi (e ainda é) tão forte nos Estados Unidos, essa sociedade formada de uma pluralidade de culturas.

Esses exemplos bastam para nos convencer de que a antropologia é o estudo do social *em condições históricas e culturais determinadas*. A própria observação nunca é efetuada em qualquer momento e por qualquer pessoa. A distância ou participação etnográfica maior ou menor está eminentemente ligada ao contexto social no qual se exerce a prática em questão, que é necessariamente a de um pesquisador pertencendo a uma época e a uma sociedade. Quando pensa estar fazendo aparecer a racionalidade imanente ao grupo que estuda, o etnólogo pode esquecer (frequentemente de boa-fé) as condições — sempre particulares — de produção de seu discurso. Mas estas nunca são histórica, política, cultural, e socialmente neutras: expressam diferentes formas da cultura ocidental quando esta encontra os outros de uma maneira teórica.

Isso posto, seria irrisório reduzir a antropologia apenas às condições de seu surgimento e desenvolvimento. Além disso, se se tem razão em insistir sobre o fato de que o pesquisador deve considerar o *lugar sócio-histórico a partir do qual fala, como parte integrante de seu objeto de estudo,* seria errôneo concluir — como faz, por exemplo, Foucault — que, em consequência das distorções perceptivas atribuídas à nossa relação com o social, "as ciências humanas são falsas ciências, não são ciências". Nosso pertencer e nossa implicação social, longe de serem um obstáculo ao conhecimento científico, podem, pelo contrário, a meu ver, ser considerados como um instrumento. Permitem colocar as questões que não se colocavam em outra época, variar as perspectivas, estudar objetos novos.

6. O OBSERVADOR, PARTE INTEGRANTE DO OBJETO DE ESTUDO

Quando o antropólogo pretende uma neutralidade absoluta, pensa ter recolhido fatos "objetivos", elimina dos resultados de sua pesquisa tudo o que contribuiu para sua realização e apaga cuidadosamente as marcas de sua implicação pessoal no objeto de seu estudo, é que ele corre o maior risco de afastar-se do tipo de objetividade (necessariamente aproximada) e do modo de conhecimento específico de sua disciplina.

Essa autossuficiência do pesquisador, convencido de ser "objetivo" ao libertar-se definitivamente de qualquer problemática do sujeito, é sempre, a meu ver, sintomática da insuficiência de sua prática. Esquece (na realidade, de uma forma estratégica e reivindicada) do princípio de *totalidade* tal como foi exposto acima, pois o estudo da totalidade de um fenômeno social supõe a integração do observador no próprio campo de observação.

Se é possível, e até necessário, *distinguir* aquele que observa daquele que é observado, parece-me, em compensação, impensável dissociá-los. Nunca somos testemunhas objetivas observando objetos, e sim sujeitos observando outros sujeitos.

170 O OBSERVADOR, PARTE INTEGRANTE

Ou seja, nunca observamos os comportamentos de um grupo tais como se dariam se não estivéssemos ali ou se os sujeitos da observação fossem outros. Além disso, se o etnógrafo perturba determinada situação, e até cria uma situação nova, devido a sua presença, é por sua vez eminentemente perturbado por essa situação. Aquilo que o pesquisador vive, em sua relação com seus interlocutores (o que reprime ou sublima, o que detesta ou gosta), é parte integrante de sua pesquisa. Assim uma verdadeira antropologia científica deve sempre colocar o problema das motivações extracientíficas do observador e da natureza da interação em jogo. Pois a antropologia é também a ciência dos observadores capazes de observarem a si próprios, e visando a que uma situação de interação (sempre particular) se torne o mais consciente possível. Isso é realmente o mínimo que se possa exigir do antropólogo.

Alguns anos atrás, estava realizando, a pedido do CNRS, uma pesquisa no sul da Tunísia sobre um fenômeno chamado *hajba* (que significa, em árabe, claustração, trancamento), que se inscreve no quadro da preparação das jovens ao casamento. No decorrer de um período que varia de algumas semanas a alguns meses, a noiva permanece rigorosamente separada do mundo exterior, e particularmente do universo masculino. Passa por um tratamento estético cujo objetivo é deixar sua pele o mais branca possível, e por um regime alimentar que deve engordá-la. Essa prática de superalimentação (à base de ovos, açúcar, torradas com óleo), aplicada a jovens djerbianas que serão entregues a maridos que não conhecem, de início repugnava- me. Ora, longe de eliminar a natureza afetiva (mas, com certeza, ligada à cultura à qual pertenço) de minha reação, tive, pelo contrário, de levá-la em conta, de tentar elucidá-la, a fim de controlar, na medida do possível, as consequências, perturbadoras tanto para mim quanto para meus interlocutores que, como todos os interlocutores, nunca se enganam por muito tempo sobre os sentimentos pelos quais passa o etnólogo. Da mesma forma, o que me marcou muito na ocasião de minha primeira missão etnológica em país baúle foi o respeito pelos velhos, o espaço ocupado pelos espíritos, e a facilidade das relações sexuais com as adolescentes. Se isso me surpreendeu, é porque essas condutas questionavam a *minha* própria cultura; pois era de fato esta que me questionava em alguns aspectos da cultura dos baúles e me questiona quando observo hoje, no Brasil, a aptidão considerável que têm os homens e as mulheres para entrar em transe, ou, mais precisamente, serem "possuídos" pelos espíritos ancestrais — índios, cristãos, africanos — do grupo. É provável que o gato veja no cachorro uma espécie particular de gato, enquanto o cachorro, por sua vez, veja em seu dono uma outra raça de cachorro. Se ambos fazem, respectivamente, canicentrismo e cinomorfismo, importa muito que o etnólogo (isso faz parte da aprendizagem de sua profissão, e o caráter científico dos resultados de suas pesquisas depende disso) controle as armadilhas, frequentemente inconscientes, da projeção e do etnocentrismo.

Convém aqui interrogar-se sobre as razões que levam a reprimir a subjetividade do pesquisador, como se esta não fosse parte da pesquisa. Por que esses relatórios anônimos, redigidos por "credores", e que ignoram a relação dos materiais colhidos com a pessoa do coletor já que, se ele tiver talento, pode sempre escrever suas confissões? Como é possível que tudo o que faz a originalidade da situação etnológica — que nunca consiste na observação de insetos, e sim numa relação humana envolvendo necessariamente afetividade — possa transformar-se a tal ponto em seu contrário? Tornar-se esquecimento ou recalcamento de uma interação entre seres vivos, funcionando em muitos aspectos como um ritual de exorcismo? Ou seja, por que, segundo a expressão de Edgar Morin, essa "esquizofrenia profunda e permanente" das ciências do homem em sua tendência ortodoxa?

A ideia de que se possa construir um objeto de observação independentemente do próprio observador provém na realidade de um modelo "objetivista", que foi o da física até o final do século XIX, mas que os próprios físicos abandonaram há muito tempo. É a crença de que é possível *recortar* objetos, *isolá-los,* e *objetivar* um campo de estudo do qual o observador estaria ausente, ou pelo menos substituível. Esse modelo de objetividade por objetivação é, sem dúvida, pertinente quando se trata de medir ou pesar (pouco importa, neste caso, que o observador tenha 25 ou setenta anos, que seja africano ou europeu, socialista ou conservador), mas não pode ser conveniente para compreender comportamentos humanos que veiculam sempre significações, sentimentos e valores.

Ora, uma das tendências das ciências humanas contemporâneas é eliminar duplamente o sujeito: os atores sociais são objetivados, e os observadores estão ausentes ou, pelo menos, dissimulados. Essa eliminação encontra sempre sua justificação na ideia de que o sujeito seria um resíduo não assimilável a um modo de racionalidade que obedeça aos critérios da "objetividade", ou, como diz Lévi-Strauss, de que a consciência seria "a inimiga secreta das ciências do homem". Nessas condições, não haverá então outra escolha senão entre uma cientificidade desumana e um humanismo não científico?

Paradoxalmente, a volta do observador para o campo da observação não se deu através das ciências humanas, nem mesmo na filosofia, e sim por intermédio da *física moderna,* que reintegra a reflexão sobre a problemática do sujeito como condição de possibilidade da própria atividade científica. Heisenberg mostrou que não se podia observar um elétron sem criar uma situação que o modifica. Disso tirou (em 1927) seu famoso "princípio de incerteza", que o levou a reintroduzir o físico na própria experiência da observação física. E foi Devereux quem, em primeiro lugar (em 1938), mostrou o proveito que a etnologia podia tirar desse princípio, comum a toda abordagem científica. A perturbação que o etnólogo impõe através de sua presença àquilo que observa e que perturba a ele próprio, longe de ser considerada como um obstáculo que seria conveniente neutralizar, é uma fonte infinitamente fecunda de conhecimento.

Incluir-se não apenas socialmente mas subjetivamente faz parte do objeto científico que procuramos construir, bem como do modo de conhecimento característico da profissão de etnólogo.

A análise, não apenas das reações dos outros à presença deste, mas também de suas reações às reações dos outros, é o próprio instrumento capaz de fornecer à nossa disciplina vantagens científicas consideráveis, desde que se saiba aproveitá-lo.

7. ANTROPOLOGIA E LITERATURA

O confronto da antropologia com a literatura é imprescindível. O antropólogo, que realiza uma experiência nascida do encontro do outro, atuando como uma metamorfose de si, é frequentemente levado a procurar formas narrativas (romanescas, poéticas e, mais recentemente, cinematográficas) capazes de expressar e transmitir o mais exatamente possível essa experiência.

* * *

Uma parte importante da literatura mantém, como a etnologia, uma relação — por sinal, extremamente complexa — com a *viagem*. Inumeráveis são os escritores para os quais o próprio ato de escrever implica uma situação de deslocamento. Basta citar *O itinerário de Paris a Jerusalém, Atala, Os Natchez,* de Chateaubriand; *Viagem no Oriente,* de Nerval; *Os pequenos poemas em prosa,* de Baudelaire; *Oviri,* de Gauguin; *Os Tarahumaras,* de Antonin Artaud; *Les Nourritures terrestres,* de Gide; *Aziyadé,* de Loti; *A viagem para Tombuctu,* de Caillié; *Impressões da África,* de Roussel; *Bourlinguer,* de Cendrars; *Aaïpi,* de Melville; *Typhon,* de Conrad... ou, entre nossos contemporâneos, *A modifi-*

cação, de Michel Butor; *A ilha*, de Robert Merle; *Equinoxiais*, de Gilles Lapouge; *Sexta-feira ou os limbos do Pacífico*, de Michel Tournier, *A Procura do ouro*, de T. M. le Clézio.

Entre as obras que acabamos de citar, algumas se enquadram nessa famosa literatura de viagem ("oriental", "tropical", oceânica...) conhecida sob o nome de "exotismo". Descobrindo novos horizontes, o escritor se dá conta (e geralmente aprecia) do fato de que sua cultura não é a única no mundo: o que o leva a mudar radicalmente no relato o cenário tradicional do campo literário clássico. Ele é tomado pela beleza de um espetáculo que o encanta e mobiliza não apenas seu olhar, mas o conjunto de seus sentidos: uma natureza grandiosa, populações alijadas de qualquer intrusão da civilização ocidental. Nesse espaço fora do espaço e nesse tempo fora do tempo, libertado das obrigações da sociedade, faz a experiência de uma felicidade e sobretudo de uma liberdade de que não suspeitava, enquanto se interroga sobre sua própria identidade.

Convém finalmente lembrar que no Ocidente nossos grandes livros de aprendizagem são relatos de viagem: *Robinson Crusoé, Moby Dick, A volta ao mundo em oitenta dias, Miguel Strogoff, A viagem de Nils Olgerson, Alice no país das Maravilhas, O pequeno príncipe...*

Não nos enganemos sobre a natureza dessas obras — por sinal, elas são muito diferentes entre si — nem sobre a nossa intenção: essas não são, de forma alguma, livros de etnologia. Alguns, até, nos ensinam apenas muito subsidiariamente a olhar para os outros, pois o escritor frequentemente sai do seu papel — tentando ser etnólogo —, tão grande é o seu desejo de resolver seus próprios problemas, escapando do Ocidente um instante.

Isso não impede que a questão das relações entre a experiência propriamente literária e a experiência etnológica permaneça colocada, não apenas para os autores que acabamos de citar, mas também para os etnólogos, ou pelo menos para os que consideram que a descoberta do outro segue junto com a descoberta de si: isto é, para quem a etnologia é *também* (o que não quer dizer exclusivamente) uma maneira de viver e uma arte de escrever. Estou pensando nesses numerosos relatos escritos por profissionais de nossa disciplina, geralmente à margem de suas produções científicas, mas que constituem a meu ver uma contribuição que seria uma pena deixar de lado, menos, é verdade, para a ciência antropológica estritamente falando, do que para o conhecimento antropológico. Trata-se apenas de alguns exemplos — de *Afrique ambigue,* de Georges Balandier (1957); *Chebika,* de Jean Duvignaud (1968); *Nous avons mangé la forêt* (1982) ou *L'Exotique est quotidien* (1977), de Georges Condominas; *Maíra,* de Darcy Ribeiro (1980); *L'Herbe du Diable et la petite fumée,* de Carlos Castañeda (1982); *Forêt, femme, folie,* de Jacques Dournes (1978)... Convém citar também essas histórias de vida, desenvolvidas de início nos Estados Unidos, e, mais recentemente na França (cf. a coleção "Terre Humaine", da editora Plon) nas quais se procura compreender o funcionamento e a significação das relações sociais a partir do relato de indivíduos singulares: o discurso do velho dogon Ogotemêlie publicado por Marcel Griaule (1966), *Soleil Hopi,* que é a autobiografia de um índio pueblo, *Os filhos de Sánchez,* de Oscar Lewis (1963); *La statue de sel*, de Albert Memmi (1966)...[1]

---

1. Convém mencionar aqui a produção de um certo número de obras cinematográficas contemporâneas — e não apenas obras que pertençam ao gênero do filme etnográfico clássico — que constituem, a meu ver, não apenas uma fonte de informação, mas um meio de conhecimento verdadeiramente antropológico. Estou pensando particularmente em *Moiet un noir,* de Jean Rouch (1958), que teve a influência que sabemos sobre o cinema de Jean-Luc Godard (especialmente *Pierrot le fou),* e em filmes mais recentes como *A árvore dos tamancos,* de Ermanno Olmi (1977); *Padre Padrone,* dos irmãos Taviani (1977); *Le Christ s'est arrêté à eboli,*de Francesco Rosi (1979); *Fontamara,* de Carlos Lizzani (1980); *Yol,* de Yilmaz Guney (1981); *Kaos,* dos irmãos Taviani (1984); *Le Pays ou rêvent les fourmis vertes,* de Werner Herzog (1984); *La Forêt d'émeraude,* de John Boorman (1985).

APRENDER ANTROPOLOGIA 177

O limite que separa essa etnologia romanceada, qualificada precisamente de *romance etnológico,* do romance propriamente dito, a literatura da ciência (cf. Gilberto Freyre, 1974), é às vezes extremamente tênue. Estou pensando principalmente em Victor Segalen, que, em *Les Immémoriaux* (reed. 1982), procura "escrever" as pessoas taitianas de uma maneira adequada àquela com a qual Gauguin as viu para pintá-las: "neles próprios, e de dentro para fora". Em Jean Monod, para quem a etnologia "foi o prolongamento da experiência poética" (1972). Em Roger Bastide, que, em *Imagens do Nordeste místico em branco e preto* (1978), se diz "dividido entre um grande fervor e o desejo de fazer uma pesquisa objetiva", e considera que "o sociólogo que quer compreender o Brasil deve transformar-se em poeta".

Mas o "romance etnológico" culmina com *Tristes trópicos,* de Claude Lévi-Strauss (que, por outro lado, nos lembra frequentemente em sua obra que se considera como o discípulo de Jean-Jacques Rousseau, e mais especificamente do Rousseau das *Confissões* e das *Rêveries,* e não do Rousseau do *Contrato social)* e com *L'Afrique fantôme,* de Michel Leiris, que distingue perfeitamente sua prática profissional de etnólogo e sua experiência de escritor e poeta, mas indica-nos quais são, para ele, as relações que as unem:

> Passando de uma atividade quase exclusivamente literária para a prática da etnografia, eu pretendia romper com os hábitos intelectuais que tinham sido meus até então e, no contato de homens de outra cultura e outra raça, derrubar as paredes entre as quais me sentia sufocado e ampliar meu horizonte até uma medida verdadeiramente humana. Concebida dessa forma, a etnografia só podia me decepcionar: uma ciência humana não deixa de ser uma ciência e a observação a distância não poderia, por si só, levar ao contato; talvez implique, por definição, o contrário, a atitude de espírito própria do observador sendo uma objetividade imparcial inimiga de qualquer efusão (1934).

No período de grande permissividade que sucedeu às hostilidades, o *jazz* foi um sinal de união, uma bandeira orgíaca, nas cores do momento. Agia de uma forma mágica e seu modo de influência podia ser comparada a uma possessão. Era o melhor elemento para dar a essas festas seu verdadeiro sentido, um sentido *religioso*, uma comunhão pela dança, o erotismo latente ou manifesto, e a bebida, o meio mais eficiente de acabar com o desnível que separa os indivíduos uns dos outros em qualquer espécie de reunião. Mergulhados em rajadas de ar quente vindas dos trópicos, o *jazz* trazia restos significativos de civilização acabada, de humanidade submetendo-se cegamente à máquina, para expressar tão totalmente quanto possível o estado de espírito de pelo menos alguns entre nós: aspiração implícita e uma vida nova na qual um espaço mais amplo seria dado a todas as ingenuidade selvagens cujo desejo, embora ainda sem forma, nos assolava. Primeira manifestação dos *negros,* mitos dos édens de cor que deviam me levar até a África e, para além da África, até a etnografia (1973).

O tipo de Etnologia para a qual estamos aqui convidados a entrar é uma etnologia eminentemente amorosa, na qual o pesquisador-escritor renuncia a ser o único sujeito do discurso, mas também seu objeto, dentro de uma aventura. Por outro lado, esforça-se por apreender da forma mais próxima possível a linguagem dos homens da alteridade e em transmiti-la na nossa língua (já era um dos objetivos de Malinowski).

A relação ao outro — e à viagem — não é evidentemente a mesma se considerarmos de um lado a relação de Griaule com os Dogon, de Leenhardt com os Canaque, de Margaret Mead com as mulheres da Oceania, de Michel Leiris ou Jean Rouch com os africanos, de Jacques Berque com os árabes, e de outro, a relação de um Antonin Artaud com os Tarahumara ou de um Jean Paulhan com os Malgaxe. Mas quando Lévi-Strauss expressa seu ódio pelas viagens, no início de *Tristes trópicos,* é para, como Michaux em *Um bárbaro na Ásia* ou em *Equador,* exigir uma viagem mais radical.

* * *

O estudo das relações entre etnologia e literatura (especialmente o romance) merece ser levado mais adiante ainda. Suas afinidades devem-se, a meu ver, a razões mais fundamentais. Citarei três delas.

1) A etnologia, pelo menos tal como a concebo, não se contenta com a situação, segundo a análise por Husserl: essa crise do pensamento ocidental que, por estar cada vez mais especializado, reluta frente à reflexão sobre o homem, e pode caracterizar-se por levar a um "esquecimento do ser". A etnologia e o romance (ambos — voltaremos a isso — nascidos na Europa) visam precisamente (por vias muito diferentes) explorar de uma maneira *não especulativa* esse ser do homem esquecido pela tendência cada vez mais hipertecnológica e não reflexiva da ciência.

2) A literatura (e, notadamente, a literatura romanesca) desenvolve um interesse todo especial para o detalhe, e para o detalhe do detalhe, para os "eventos minúsculos" e os "pequenos fatos" de que fala Proust. Ora, essa preocupação pelo microscópico — e não, como diz ainda Proust, pelas "grandes dimensões dos fenômenos sociais" — vai ao encontro da abordagem que é a da etnologia.

O que caracteriza também o modo de conhecimento literário é que este não se reduz à faculdade de observação. A vida é inclusão e confusão, a arte é discriminação e seleção, como bem mostrou Henry James. O que o escritor procura é a *análise* dos fatos com o objetivo de tirar *leis gerais,* explicativas dos comportamentos humanos. Ele é, segundo o termo de Proust, um "escavador de detalhes". Sua ambição é nunca se ater às sensações que "afetam sem representar", e sim, a partir de um único pequeno fato, se for bem escolhido, fazer surgir o "geral" do "particular". Isto é, chegar a uma lei geral que levará a conhecer a verdade sobre os milhares de fatos análogos, e permitirá, articulada com outras leis, que sejam colocadas as bases de uma "teoria do conhecimento".

3) A gênese do romance, como a da etnologia, é contemporânea desse momento de nossa história no qual os valores começam a vacilar, no qual é questionada uma ordem do mundo legitimada pela divindade. O que é então proposto não é nada menos que um descentramento *antropocêntrico* em relação à teologia, mas também à filosofia clássica, na qual a inteligibilidade é constituída e não constituinte: a relatividade dos pontos de vista, dos valores, das concepções do homem e do social, o abandono da ideia de uma verdade absoluta situando o bem de um lado e o mal de outro, comum a *todas* as ideologias.[2]

A lógica do romance supõe a pluralidade dos personagens, como a lógica da etnologia supõe a pluralidade das sociedades, e, em ambos os casos, essa pluralidade é irredutível à identidade. Assim, Joseph K., em *O processo* não é nem totalmente culpado nem totalmente inocente. Assim, na *Montanha mágica,* de Thomas Mann, os pensionários do Berghof não detêm a verdade dos habitantes da "planície", e Hans Castorp não é a medida de Settembrini. O mesmo se dá para Zeno em relação a Augusta, na *Consciência de Zeno,* de Svevo; para Leopold Bloom em relação à "gente de Dublin", em *Ulisses,* de Joyce; para o narrador de *Em busca do tempo perdido* em relação aos Verdurin etc.[3]

---

2. O romance começou como a etnologia: pela perspectiva, aberta pelas viagens, da aventura ilimitada (Jacques le fataliste, Dom Quixote...). Depois e em ambos os casos, o longínquo deixa lugar ao próximo. À medida que o universo conhecido vai sendo explorado, volta-se para o próximo e, como em *Madame Bovary,* explora-se o cotidiano.

3. E mesmo quando o romance está totalmente organizado em torno de uma personagem única, a partir da revolução romanesca da década de 1920, revolução esta que, é claro, não veio de repente, mas foi gradualmente preparada por escritores como Stendhal, Flaubert, James, essa personagem, profundamente dividida em

Ora, essa abordagem é análoga (o que não significa de modo algum idêntica) à da etnologia. Pode ser apreendida da forma mais próxima possível nos trabalhos de um etnólogo como Oscar Lewis. Em *Os filhos de Sánchez,* particularmente, não somos mais confrontados com os monólogos paralelos do observador do observado, alternadamente considerados como os únicos polos da observação, mas aos olhares cruzados (convergentes, divergentes) de uma mesma família mexicana.

Em suma, esses exemplos bastam, me parece, para fazer--mos compreender que tanto no romance quanto na etnologia, renuncia-se à ideia de que a realidade possa ser apreendida em si, mas, mais modestamente, sempre a partir de um certo ponto de vista. Em ambos os casos, tanto para o etnólogo como para o romancista, coloca-se o problema dos *limites* que se deve impor ao olhar. Ou seja, o ponto de vista esforça-se em ser total, sem nunca ser absoluto. Essa abordagem, deliberadamente perspectivista, é portanto claramente antitotalitária.[4]

---

relação a si própria, reintroduz no espaço romanesco a *multiplicidade dos pontos de vista.*

4. As relações (no caso convergentes) que acabamos de esboçar entre o romance e a antropologia exigiriam uma afinação. De que romance se trata? E de que antropologia? Parece-nos por exemplo que a abordagem que visa à investigação mais completa possível de um grupo humano através da documentação e da observação distanciada da "realidade social", é comum às correntes *positivistas* das ciências humanas e *naturalistas* do romance. Da mesma forma, a perspectiva de Balzac, que privilegia o caráter eminentemente social e até socioeconômico das situações (descritas em sua exterioridade) e das personagens (que, na obra de Balzac confundem-se com sua função e seu estatuto social), corresponde à tendência sociologizante da antropologia. A relação entre o afetivo e o social inverte-se quando passamos para o romance psicológico ou para a antropologia psicanalítica.

8. AS TENSÕES CONSTITUTIVAS DA PRÁTICA ANTROPOLÓGICA

Encontramos no conjunto do campo antropológico um certo número de tensões importantes, opondo a universalidade e as diferenças, a compreensão "por dentro" e a compreensão "por fora", o ponto de vista do mesmo e o ponto de vista dos outros... Mas essas tensões são verdadeiramente constitutivas da própria prática da antropologia. Esta última só começa a existir a partir do momento em que o pesquisador se entrega a um confronto entre esses diversos termos, vive dentro de si essas tensões, frequentemente polêmicas, esforça-se em pensá-las e dar conta delas. Correlativamente, parece-me que a antropologia tem todas as chances de engajar-se em um impasse, em um desvio em relação ao modo de conhecimento que persegue, toda vez que um dos polos em questão domina o outro.

O DENTRO E O FORA

Uma pulsação bastante específica confere ritmo ao trabalho de todo etnólogo. O primeiro tempo é o da aprendizagem através de um convívio assíduo e de uma verdadeira impregnação por seu objeto. Trata-se de interpretar a sociedade estudada utilizando os modos de pensamento dessa sociedade, deixandose, por assim dizer, *naturalizar* por ela. O que não tem realmente nada de um exercício intelectual, pois, como diz Georges Balandier a respeito da África, corre-se o risco de voltar "perdido para o Ocidente". A abordagem de um Jean Rouch, de um Michel Leiris (que escrevia em seu diário de missão: "eu preferiria ser possuído a estudar os possuídos"), ou de um Roger Bastide, parece-me particularmente representativa dessa atitude. Roger Bastide escreve, por exemplo:

> Eu abordava o candomblé com uma mentalidade moldada por três séculos de cartesianismo. Devia deixar-me penetrar por uma cultura que não era minha. Devia portanto converter-me a uma outra mentalidade. A pesquisa científica exigia de mim a passagem prévia pelo ritual de iniciação.

Roger Bastide é então entronizado no candomblé, onde lhe revelam que é filho de Xangô, deus do trovão dos Iorubas, e onde, até a sua morte, ocupará um lugar na hierarquia sacerdotal.

A nosso ver, o pesquisador só ultrapassará esse primeiro estágio que é o do encontro, da experiência, e por que não?, da conversão (pelo menos metodológica), e que podemos ilustrar com os trabalhos dos fundadores de nossa disciplina, começando por Leenhardt e Griaule — se o tiver pelo menos encontrado e atravessado.

Mas passado o tempo da impregnação, chega inelutavelmente para o etnólogo o da distância, pois é próprio da linguagem, e particularmente da linguagem científica, atuar no sentido de uma separação. E, sobretudo, a inteligibilidade procurada não consiste apenas em compreender uma sociedade da forma como seus atores sociais a vivem, mas também, e sobretudo, em entender o que lhes escapa e só pode lhes escapar. De fato, o que vivem os membros de uma determinada sociedade não poderia ser compreendido situando-se apenas dentro dessa sociedade. O olhar distanciado, exterior, diferente, do estranho, é inclusive a condição que torna possível a compreensão das lógicas que escapam aos atores sociais. Ao familiarizar-se com o que de início parecia estranho, o etnólogo vai tornar estranho para esses atores o que lhes parecia familiar.

Convém portanto insistir aqui sobre a opacidade das estratégias sociais. Parece-nos de fato, que, de um determinado ponto de vista, os camponeses de Cevennes são os pior situados para compreender os camponeses de Cevennes, e os professores de filosofia para compreender os professores de filosofia, ou ainda, os franceses para compreender os franceses;[1] pois as significações produzidas não residem apenas naquilo que uma cultura ou microcultura afirma, mas naquilo que não diz. Nenhuma sociedade é de fato perfeitamente transparente a si mesma, nenhuma escapa de suas armadilhas conscientes. Cada grupo humano, como também cada indivíduo, fornece a si próprio e aos outros racionalizações de suas condutas, que consistem em modelos conscientes que o etnólogo não deve cortejar e adaptar, nem contornar e exorcizar, e sim *analisar.*

Assim, o risco do primeiro momento (habitualmente designado pela expressão "compreensão por dentro") é ocorrer, seja uma participação cega e uma "empatia" que não se consegue mais controlar, seja a retranscrição, em termos eruditos e na forma de uma redundância, do que foi expresso, por exemplo, pelo camponês ou pelo operário em termos populares. Alguns etnólogos têm tendência a supervalorizar o discurso do outro, isto é, a abandonar um modelo de pensamento por outro. Mas em tais condições, como diz Marc Augé (1979), "o etnólogo

---

1. Cf. sobre esse ponto os trabalhos de L. Wylie (1968), que é americano, ou de Zeldin (1983), que é inglês.

que tentasse compreender o universo dos Bororo e explicá-lo de dentro, não seria mais um etnólogo e sim um Bororo".

O risco inverso pode apresentar-se na ocasião do segundo momento do processo (a "compreensão de fora"). Quando o discurso sobre o outro tende a dominar o discurso do outro, degenera habitualmente em um discurso à revelia do outro, podendo contribuir para a morte do outro (e para a morte das civilizações). O paradoxo merece ser sublinhado. Enquanto nossa profissão de etnólogo exige que comecemos toda pesquisa pela aprendizagem da modéstia, por uma ruptura cultural, ou até por uma "conversão", deixando-nos ensinar e aculturar como crianças, nossas produções eruditas terminam quase sempre tomando as outras sociedades conforme a inteligibilidade que organiza a nossa. O risco, não desprezível, é de carregarmos conosco um modelo de leitura, de sociedade em sociedade, com a convicção de sempre permanecer com a última palavra. Se a etnologia conseguir superar a ideologia da idealização amorosa, da fusão e da confusão, parece-me que não deve ser para voltar ao estatuto etnocêntrico da racionalidade ocidental, que é apenas uma forma de lógica entre tantas outras.

Lévi-Strauss compara frequentemente a antropologia à astronomia. Qualifica a primeira de "astronomia das ciências sociais", e diz do olhar antropológico que é um "olhar de astrônomo". É a *proximidade* desse olhar sobre sociedades *longínquas* que permite notadamente que o pesquisador, de volta a sua própria sociedade, possa olhá-la *a distância*. E é o caráter microscópico de sua abordagem que fundamenta paradoxalmente a natureza telescópica de sua abordagem. Existe, é claro, uma contradição aparente nesse olhar próximo do longínquo que age como um olhar longínquo do próximo; mas essa contradição, todo etnólogo a encontrou pelo menos uma vez na vida. Em suma, parece-nos que essa tensão entre pesquisadores, mas, sobretudo, em um mesmo pesquisador,[2] entre a situação de *outsider* e a de *insider* — que é a própria definição da "observação participante", essa vontade de "poder pensar e sentir alternadamente como um selvagem e como um europeu" (E. Evans-Pritchard, 1969) — é constitutiva de nossa profissão. Como escrevia, há mais de um século, Tylor, um dos primeiros antropólogos:

> Existe uma espécie de fronteira aquém da qual é preciso estar para simpatizar com o mito, e além da qual é preciso estar para estudá-lo. Temos a sorte de viver perto dessa faixa fronteiriça e de poder passar e repassá-la à vontade.

A UNIDADE E A PLURALIDADE

Fazer antropologia é segurar as duas extremidades da cadeia e afirmar com a mesma força:

• existe, como escreve Mauss, uma *"unidade do gênero humano"*;

• tal costume, tal instituição, tal comportamento, estranhos à minha sociedade, são realmente *diferentes*.

1) Esse descentramento teórico de si por abertura ao outro é frequentemente, na prática, apenas uma tradução de um discurso em outro, de uma mentalidade em outra, uma extensão e anexação do outro, reduzido a mera figura do mesmo. É notadamente o caso do evolucionismo, que dissolve a alteridade na unidade, pois, como vimos, o "primitivo" não é visto como sendo do realmente diferente de nós. Este encarna a forma social ultrapassada do que fomos outrora, e é utilizado como a ilustração

---

2. Lembramos, por exemplo, que Malinowski, no início de sua carreira, ao estudar os Trobriandeses (1963), privilegia um modo de conhecimento "por dentro"; em seguida, quando elabora sua *Teoria científica da cultura* (1968), dá prioridade a um modo de conhecimento claramente distanciado.

de um processo único que sempre conduz ao idêntico. Mas essa tendência da prática antropológica atua também em abordagens que, no entanto, apresentam-se como radicalmente opostas. É, por exemplo, fácil encontrar uma contradição, na obra de Malinowski, entre, de um lado a experiência pessoal do observador, que se esforça em dar conta da especificidade irredutível dos insulares trobriandeses, e a convicção do teórico que, no final de sua vida, reflete sobre o funcionamento da humanidade em geral, pois considera que, finalmente, os homens são em toda parte os mesmos. A abordagem tão exigente do etnógrafo, que evidencia as diferenças que observa, termina dissolvendo-se no dogmatismo unitário da função. Compreendemos, dentro desse quadro, o questionamento de nossa disciplina, que se expressa notadamente pela voz dos intelectuais do "terceiro mundo" (cf. por exemplo Fanon, 1952; Baldwin, 1972; Adotevi, 1972) pedindo o fim da antropologia, este monólogo tranquilo do Ocidente consigo mesmo, no qual a única racionalidade presente estaria conferida por um sujeito ativo a um objeto passivo.

Essa acusação segundo a qual o conhecimento dos outros estaria reduzido ao Saber verdadeiro por um observador possuindo infalivelmente a verdade do observado, e procurando menos o advento com os outros daquilo que não pensava, do que a verificação sobre os outros daquilo que pensava, coloca um problema essencial: a única ciência é ocidental? E a antropologia teria apenas uma modalidade do conhecimento por objetivação? Nossa disciplina — pelo menos tal como a concebo — aspira a uma forma de racionalidade que não é a das ciências sociais, tais como a economia, a sociologia ou a demografia, as quais "aceitam sem reticências", como diz Lévi-Strauss, "estabelecer-se dentro mesmo de suas sociedades". E, por outro lado, embora não se trate de ciências, no sentido ocidental do termo, existem, em outras culturas, formas de conhecimento cuja lógica não tem realmente nada a invejar da nossa: por exemplo, as gramáticas indianas, os "saberes sobre o corpo" asiáticos, ou ainda as instituições familiares tais como foram elaboradas pelos aborígines australianos, tão complexas que precisamos, no Ocidente, para compreendê-las, apelar para os recursos das matemáticas modernas.

2) Esses últimos comentários nos levam a nos voltar para o segundo polo dessa tensão entre a unidade da cultura (o outro é um homem como nós, como vemos na tragédia shakespeariana) e a diversidade das culturas. A partir desse segundo polo, organiza-se toda uma corrente, que encontra uma de suas primeiras expressões em Montaigne (os costumes diferem tanto quanto os trajes, há uma verdade além dos Pireneus...), atravessa o pensamento antropológico contemporâneo e consiste dessa vez em considerar as diferenças como irredutíveis.

O que é evidenciado nessa perspectiva[3] é o caráter assimétrico da relação entre o observador e o observado, a dominação que uma civilização estaria impondo deliberada ou dissimuladamente a todas as outras, e a natureza, considerada repressiva, da ciência, que seria a racionalização desse processo. Preconiza-se então uma relação empática, igualitária e convivial, que proporcionaria a possibilidade de dessolidarizar-se do mundo europeu. É uma forma de conhecimento mais humana, que poderíamos qualificar de "etnologia mansa", como falamos de "medicina mansa", visando, contra o cosmopolitismo, a reabilitar a identidade das regiões (cf., por exemplo, P. J. Hélias, 1975). Opõe-se então radicalmente a sabedoria das sociedades tradicionais à violência frenética da sociedade racionalista, da qual a antropologia seria cúmplice. Finalmente, considera-se que o que é separado pela barreira das culturas não deve ser reunido, nem mesmo pelo pensamento teórico. Disso decorre a oposição aos

---

3. Perspectiva ao mesmo tempo antievolucionista, antifuncionalista, antiestruturalista, antimarxista, mas claramente culturalista, encontrada em autores como Castañeda (1982), Clastres (1974), Delfendhal (1973) e Taulin (1970, 1973).

próprios conceitos de homens e de antropologia, aos quais se prefere o de povo (no plural) e de etnologia. Procuremos analisar as implicações de tal atitude.

1) Em primeiro lugar, a inquietude que demonstram esses autores com respeito a uma homogeneização, pelo Ocidente, das diferentes culturas do mundo, me parece pouco fundamentada. De volta de uma missão científica no Nordeste do Brasil, posso relatar o seguinte: uma população constituída em sua maioria de descendentes de europeus, e confrontada hoje a uma conjuntura econômica internacional que lhe é eminentemente desfavorável, soube criar formas de sociabilidade plenamente originais, encontráveis no menor comportamento da vida cotidiana, e que não se deixam de forma alguma alterar pelos modelos culturais vigentes em Paris, Londres ou Chicago. Sabemos de fato que, quanto mais uma sociedade tende a uniformizar-se, mais tende simultaneamente a diversificar-se. Assim, por exemplo, a hegemonia ariana, que ia levar à unificação da Índia, foi acompanhada correlativamente de uma divisão da sociedade em castas. Da mesma forma, foi a influência, que parecia exclusivamente niveladora, da revolução industrial do século XVIII que permitiu a radicalização dos diferentes estatutos entre os grupos (as classes sociais). Mais uma vez, o Brasil contemporâneo me parece particularmente revelador a esse respeito e nos leva ainda mais adiante. A cultura popular não só resiste notavelmente à cultura dominante, como também, frequentemente, consegue se impor a esta, de uma maneira dificilmente imaginável no Ocidente. Aquilo que Bastide começava a notar, trinta anos atrás, ao estudar os cultos afro-brasileiros, acentuou-se e confirmou-se. Encontrei pessoalmente membros das classes superiores da sociedade brasileira que, no decorrer das cerimônias de umbanda, são sucessivamente "possuídos" pelos espíritos das divindades dos índios e dos ancestrais africanos do tempo da escravidão. Ora, esse fenômeno pode ser

190 AS TENSÕES CONSTITUTIVAS DA PRÁTICA ANTROPOLÓGICA

melhor apreendido, não nas regiões mais exteriores em relação ao desenvolvimento econômico do país, como o Nordeste, mas no Rio de Janeiro ou em São Paulo, que é hoje uma das primeiras metrópoles industriais do mundo.

2) A ideia de que o outro é radicalmente outro, de que, por exemplo, o Novo Mundo é de fato um outro mundo, e de que não se poderia preencher (e, mesmo se fosse possível. não se deveria fazê-lo) a diferença absoluta que o separa de nós, participa de um etnocentrismo invertido que não deixa de lembrar de Pauw ou Hegel. Para estes, como lembramos, as sociedades selvagens são *totalmente* diferentes das sociedades históricas. É "um outro mundo cultural", diz Hegel, que também fala em uma "essência" dos africanos. O fato de a alteridade ser aqui valorizada por um agradável movimento de pêndulo, ao qual nos acostumou o pensamento para-antropológico, não afeta em nada a natureza ideológica do processo em questão.

3) Essa celebração da sabedoria e do convívio dos outros não resiste à observação dos fatos: decorre da construção de uma alteridade fantasmática que se faz passar por realidade. O africano, o índio, o bretão... são mobilizados mais uma vez como suportes do imaginário do ocidental culto, como objeto- -pretexto utilizado aqui com vistas ao protesto moral, como pode sê-lo com vistas à emoção estética ou à militância política. E correlativamente dessa vez, por meio dessa deontologia do olhar para o outro — o qual acaba inclusive perdendo-se, pois olha-se para si mesmo dentro do espelho do outro —, aquele que está submetido a um processo de dominação e humilhação não é mais o outro (sadismo), e sim ele próprio e sua própria sociedade (masoquismo). A excelente imagem que *se deve* ter dos outros acompanha-se de fato da má imagem que se tem de si (cf., por exemplo, Jean Monod, 1972, que se acusa de ser um "rico canibal"). Ou seja, há uma recusa de assumir sua própria identidade, o que tem como corolário a culpa ou a difamação da

ocidentalidade.[4] Em suma, tudo se passa como se esse protesto indignado — o fato de querer devolver sua dignidade aos outros — devesse passar inelutavelmente por um processo que consistia em acusar-se a si próprio de indignidade.

4) A ideia de que os que visam compreender racionalmente a alteridade estariam se comportando praticamente como Cortés com os Astecas, enquanto que, indo até o fim da ruptura com o Ocidente, se poderia talvez chegar, através de um conhecimento por assim dizer amoroso, a coincidir com a verdadeira natureza do outro, enquadra-se mais em uma experiência religiosa, que faria do etnólogo um iniciado ou um eleito, do que na ciência. E além disso, tudo nos impele — na esteira dessa para-antropologia que identifica a abordagem do pesquisador com o ponto de vista dos próprios atores, que afirma que é preciso ser originário de sua cultura para compreendê-la realmente — a ficar em casa, a permanecer consigo mesmo. Apenas o índio (e, a rigor, aquele que se tornar seu adepto) é capaz de compreender o índio. Apenas o bretão é capaz de falar corretamente o bretão. Apenas o proletário pode saber o que é a classe operária. Apenas a mulher está em condições de compreender a mulher. Já passamos por isso. Como você, que não é médico, se atreve a falar de medicina? Deixe a medicina aos médicos, a religião aos clérigos, o proletariado aos proletários, a Bretanha aos bretões...

Se levarmos até suas extremas consequências esse princípio de não-distanciação e não-mediação, devemos nos tornar membros efetivos da sociedade que pretendíamos estudar. Mas então, não se trata mais de estudá-la, e sim de adotá-la, à ma-

---

4. A descrição, por Turnbull (1972), de selvagens que não têm realmente nada de "bons selvagens", e o fato de que o etnólogo, como qualquer ser humano, possa sentir ódio em relação a estes, e escrevê-lo, causou escândalo entre os etnólogos. Mas que estes últimos não sejam "nem santos, nem heróis", como diz Panoff (1977), "não impede que os trobriandeses sejam matrilineares, nem que os Nuers levem uma vida ritmada pelas necessidades pastorais e pelas condições meteorológicas".

neira desses aventureiros normandos, encontrados por Léry, que haviam naufragado na costa meridional do Brasil e tinham-se tornado selvagens no contato dessas populações, adotando sua língua, suas mulheres, seus costumes. Por todas essas razões, ao insistir tanto sobre o caráter irredutível das diferenças, essa tendência da etnologia exclui-se por si mesma, a meu ver, de uma abordagem de pesquisa científica.

Acabamos de ver que a uma forma de universalidade que tende para a redução do outro ao ocidentalismo (o dogmatismo de uma natureza ou de uma essência humana sempre idêntica a si mesma) responde a uma forma de majoração da alteridade (o dogmatismo da relatividade de culturas heterogêneas justapostas). Não é fácil, evidentemente, segurar as duas extremidades da cadeia, isto é, o acesso à compreensão do outro por si e à compreensão de si pelo outro. Se a identificação integral com este é, a meu ver, um erro, a antropologia nos engaja porém nessa aventura que nos ensina que não se deve identificar integralmente consigo mesmo. O outro é uma figura possível de mim, como eu dele. Esse descentramento mútuo do observador e do observado não pode mais ser, no final dessa experiência, o sujeito transcendental do humanismo. Nem por isso as identidades de uns e outros estão abolidas, mas passam a ser apreendidas do interior mesmo de sua diferença, isto é, a partir de uma relação.

O CONCRETO E O ABSTRATO

A terceira tensão que examinaremos agora é a da observação daquilo que é vivido, e da teoria construída para dar conta dessa observação, ou, se preferirmos, do campo e do método.

A incompreensão entre os que enfatizam a *unidade* fundamental da cultura e os que privilegiam a *diversidade,* supostamente irredutível, das culturas, decorre do fato de que não nos

APRENDER ANTROPOLOGIA 193

situamos, nos dois casos, no mesmo nível de investigação do social. A tomada em consideração da *variedade cultural* me leva a perceber que pertenço a uma cultura entre muitas outras, mas o meu olhar atém-se à observação da realidade empírica. Pelo contrário, a análise da *variabilidade cultural* evidencia o que não vejo diretamente quando passo de uma cultura para outra, mas me permite perceber que pertenço a uma figura particular *da* cultura. De um lado, portanto, a preocupação do concreto; de outro, a exigência, para dar conta deste, da construção científica. Vaivém a meu ver ininterrupto, que pode ser ilustrado, por exemplo, pelo formalismo lógico de um Lévi-Strauss, o qual não deve, porém, nos deixar esquecer a especificidade por assim dizer carnal dessa América índia dos Nhambiquaras de que tanto gosta o autor de *Tristes trópicos.*

1) O primeiro risco, que eu qualificaria de *tentação empírica,* vem da submissão dócil ao campo, do registro ficticiamente passivo dos "fatos", que dá ao observador a impressão de situar-se *do lado das coisas,* de estar junto delas.

Essa suspeição frente à abstração e à teoria parece-me perfeitamente legítima. A música, a poesia, a literatura, a pintura, a religião são abordagens muito mais indicadas do que a antropologia para nos fazer coincidir com os seres. Proporcionam-nos incontestavelmente mais emoções, mais prazeres. Mas não são a antropologia. Não há, de fato, ciência, nem atividade crítica nem mesmo coleta de fatos sem teoria. A rejeição desta última leva inclusive inevitavelmente a adotar a teoria do senso comum, a "opinião", a ideologia do momento, a que estiver vigente na sociedade que se estuda ou à qual pertencemos. O trabalho do antropólogo não consiste em fotografar, gravar, anotar, mas em decidir quais são os fatos significativos, e, além dessa descrição (mas a partir dela), em buscar uma *compreensão* das sociedades humanas. Ou seja, trata-se de uma atividade claramente *teórica* de *construção de um objeto* que não existe na realidade, mas que

194 AS TENSÕES CONSTITUTIVAS DA PRÁTICA ANTROPOLÓGICA

só pode ser empreendida a partir da observação de uma realidade concreta, realizada por nós mesmos.

2) O segundo risco pode ser qualificado de *tentação idealista* (ou nominalista). Situamo-nos dessa vez do lado das palavras (ou do lado dos números), mas *tomam-se então as palavras por coisas*. No término do empreendimento de modelização que transforma fenômenos empíricos em objetos científicos, acaba-se tomando a *construção do objeto* pela *própria realidade social*. Ora, a população que estudamos não nos esperou para atribuir significações a suas práticas. Por outro lado, uma teoria científica nunca é o reflexo do real, e sim uma construção do real. Os fatos etnográficos são fatos cientificamente construídos, a partir de nossas observações, mas também contra nossas observações, nossas impressões, as interpretações dos interessados e nossas próprias interpretações espontâneas. Existe portanto uma inadequação entre, de um lado, a realidade social estudada, que não é nem esgotada nem esgotável pela etnologia, e de outro, o objeto que construímos a partir de uma determinada opção disciplinar e teórica, e da nossa própria relação com o psicológico e o social.

* * *

O paradoxo, mas também a especificidade da antropologia no campo das ciências sociais, é que não sendo "a ciência social, do ponto de vista do observador" (é assim que Lévi-Strauss define a sociologia), também não é a ciência social do ponto de vista do observado, e sim uma prática que surge em seu limite, ou melhor, em sua intersecção. Podemos reduzir a inadequação entre os dois pensamentos de que acabamos de falar, traduzindo-a em uma outra linguagem. Por exemplo, quando um número considerável de indivíduos que compõem a sociedade brasileira tende a interpretar suas dificuldades (sociais, psicológicas, biológicas) em termos religiosos, podemos dizer que se trata de "ilusão", de "projeção", de "deslocamento" ideal de uma realidade mais "fundamental". Da mesma forma, quando o pensamento tradicional classifica as coisas segundo categorias cósmicas (a água, o ar, a terra, o fogo), podemos dizer que realiza "sublimações" cujas "verdadeiras" razões são socioeconômicas. Podemos também compreender essa adequação através de um confronto ininterrupto e de uma articulação entre o pensado e o impensado, o dito e o não-dito, o manifesto (de minha e da outra sociedade) e o recalcado (de minha e da outra sociedade).

Alguns exemplos vão permitir mostrar que um certo número de condutas, observáveis em outro lugar, são capazes de agir como reveladores de aspectos culturais inteiros, cuidadosamente dissimulados em nossa cultura, o que permite afirmar, com Georges Devereux, que o inconsciente de uma cultura pode ser encontrada no consciente de uma outra.

Nossos sistemas de representação, em matéria de doença, são hoje em grande parte exorcísticos: a doença é considerada como um mal que deve ser esmagado, e os sintomas como uma calamidade a ser eliminada, o que traça as figuras, bem conhecidas entre nós, do doente-vítima e do médico-exorcista. Mas as representações inversas, chamadas "adorcísticas" e que correspondem às duas figuras do médico-louco e do paciente-oráculo, nem por isso estão ausentes. Estão simplesmente recalcadas, e tornam-se manifestas se passarmos de uma cultura para outra (dos exorcistas thonga aos xamãs shongai), ou de uma cultura para ela mesma no tempo (da nossa psiquiatria clássica para a corrente que qualifica a si própria de "antipsiquiatria", que não produz realmente algo novo, mas reatualiza antes algo recalcado).

Da mesma forma, os cultos de possessão afro-brasileiros, tais como os estou estudando neste momento em uma grande cidade do Nordeste, podem ser utilizados como reveladores da abordagem antipsiquiátrica inglesa — e particularmente de Laing — que expressa no nível do discurso o que os brasileiros realizam no nível do corpo.

196 AS TENSÕES CONSTITUTIVAS DA PRÁTICA ANTROPOLÓGICA

Poderíamos assim multiplicar os exemplos, e mostrar que o processo, conhecido dos psicossociólogos, da exclusão em um grupo que se quer homogêneo, torna-se particularmente claro e "desocultado" quando nos referimos à feitiçaria que é uma regulação social estruturalmente universal etc.

De tudo isso, resulta que o objetivo da etnologia não é o de traduzir a alteridade nos moldes do que é, para *minha* sociedade, conhecido e correto (o que equivaleria a suprimir essa alteridade); nem o de estender a racionalidade às dimensões do universo, nos modos missionários ou messiânicos da conquista (pois essa racionalidade é provinciana, isto é, limitada no espaço e no tempo). A etnologia, pelo contrário, abre essa estreiteza monocultural. E no entanto, para que o próprio empreendimento que caracteriza nossa disciplina, não apenas como experiência e como aventura, mas como ciência, seja possível, algo desse pensamento ocidental terá sido utilizado como mediador e como instrumento: não uma cultura (a nossa) que serviria de referencial absoluto e daria sentido a fenômenos que inicialmente não tinham, e sim um método, ocidental, é claro, pela sua origem histórica e cultural, mas que subverte a racionalidade ocidental.[5]

Dito isso, a lógica das condutas e das instituições que o etnólogo procura evidenciar também não se confunde com os sistemas de interpretações autóctones, com os modelos conscientes, "feitos em casa" (Lévi-Strauss), com os gêneros que são classificações indígenas explícitas. Sistemas de interpretações autóctones, modelos conscientes e gêneros são frequentemente deformações e racionalizações de estruturas inconscientes (que fornecem no entanto possibilidades de acesso a estas últimas),

---

5. Seria tão absurdo dizer que a antropologia, que nasceu no Ocidente, é indefectivelmente ocidentalo-cêntrica, como dizer que a psicanálise, que nasceu em Viena, é específica e exclusivamente vienense. Se a antropologia é "filha do colonialismo", "nada seria mais falso", como escreve Lévi-Strauss (1973), "do que considerá-la como a última reencarnação do espírito colonial".

e este é o nível de inteligibilidade que a antropologia pretende alcançar: não o consciente, mas o inconsciente em sua relação com o consciente, o tipo em sua relação com o gênero etc.

Concluiremos essas reflexões com as observações seguintes. As práticas simbólicas e os discursos vividos (que podem ser sistematizados em qualquer lugar, pois cada sociedade tem seus próprios teóricos) não são interpretados pela antropologia segundo a maneira como seus atores sociais os vivem, nem segundo a maneira com a qual os observadores os percebem. Isso não significa que o antropólogo seja o homem de nenhum lugar, e que a antropologia seja uma metalinguagem. O conhecimento antropológico surge *do encontro,* não apenas de dois discursos explícitos, mas de dois inconscientes em espelho, que refletem uma imagem deformada. É o discurso sobre a diferença (e sobre minha diferença) baseado em uma prática da diferença que trabalha sobre os limites e as fronteiras.

Tomemos o exemplo de uma conduta que não é minha, como a feitiçaria, e que pertence ou a uma "matriz primária" de uma sociedade outra, ou a um segmento marginal de minha sociedade. Seu significado antropológico só pode ser apreendido relacionando-a àquilo que para minha sociedade tem um sentido, ou àquilo que a prática e a lógica da feitiçaria dizem por si mesmas, nos gestos e nos discursos dos interessados, e na sua *junção* e na sua *intersecção.*

Nesse caso específico, a realidade, para o antropólogo, constitui-se do confronto de dois discursos interpretativos que se juntam, e constituem, o primeiro, a realidade normalizante do discurso "erudito" (do psiquiatra, do padre, do professor primário...), o segundo, a realidade alucinada e desviante, mas que é também a expressão de uma realidade social. A antropologia, portanto, só começa a adquirir um estatuto científico a partir do momento em que integra, para analisá-lo, esse envolvimento do

198   AS TENSÕES CONSTITUTIVAS DA PRÁTICA ANTROPOLÓGICA

pesquisador (ao mesmo tempo psicoafetivo e sócio-histórico) às voltas com a diferença.

Resumiremos da seguinte forma essa ambiguidade e essa tensão (que atua evidentemente muito mais no estudo dos sistemas de representações e valores do que da cultura material). Não posso ser ao mesmo tempo eu mesmo e um outro, e no entanto, para ser totalmente eu, devo também sair de mim a fim de apreender uma figura recalcada, mas possível de mim. Não posso situar-me simultaneamente dentro e fora de minha sociedade, e no entanto, para compreender minha sociedade no que nunca diz de si própria por que não o percebe, devo fazer a experiência de uma descentração radical.

Finalmente essa atividade continua interrogando-me na própria atividade pela qual contribuo a fabricá-la como objeto científico.

* * *

A separação teológica, filosófica, e depois científica, do homem e da natureza (especialmente os animais, mas também nossa animalidade), do homem e de seu semelhante, a separação do sujeito e do objeto, do sensível e do inteligível, constituem os termos de uma tensão que, a meu ver, não admite resolução em uma unidade superior como em Hegel. Esses termos, a não ser em uma solução fisiológica, formam uma complementaridade conflitual, mas não uma "dialética", conceito para o qual se apela (na verdade, cada vez menos) quando se procura uma receita, uma trégua possível, e que tem como diz Jean Grenier, "uma virtude mágica infalível". São as diferentes dosagens realizadas, as diferentes combinações obtidas entre uma compreensão "por dentro" e uma compreensão "por fora", entre a alteridade e a identidade, a diferença e a unidade, subjetividade e a objetivida-

APRENDER ANTROPOLOGIA

de (mas também a sincronia e a diacronia, a estrutura e o evento) que comandam o pluralismo antropológico, mas também as incompreensões, ou mesmo as discordâncias entre antropólogos. Se, por exemplo, minimizo a alteridade cultural, arrisco-me a realizar uma atividade de descodificação, isto é, de transcrição de um discurso em outro. Mas ao superestimar essa alteridade (ponto de vista do culturalismo), torno totalmente impossível e impensável aquilo que precisamente fundamenta o projeto antropológico: *a comunicação do seres e das culturas.*

A aposta da antropologia é precisamente a de viver esse movimento ininterrupto. Não pretendo pessoalmente tê-lo conseguido profissionalmente. Digo apenas que tentei essa experiência. Esse empreendimento, por mais exigente e cheio de armadilhas que seja, não tem nada de impossível. Roger Bastide entendeu de dentro o que chamava de "pensamento obscuro e confuso" dos símbolos, e, mais que qualquer um, empenhou-se no pensamento "claro e distinto" dos conceitos. Totalmente integrado ao candomblé brasileiro, ele foi totalmente antropólogo.

A fixação sobre um polo em detrimento de outro, a rejeição dessas tensões que constituem contradições estimuladoras, as soluções de meio-termo e de compromisso levam inelutavelmente a acabar com a especificidade de nossa disciplina — que ocupa um lugar todo particular nas ciências humanas — e a todas as espécies de desvios ideológicos. Demonstram a recusa ou a impossibilidade de enfrentar as dificuldades (que são também chances a ser aproveitadas e exploradas) inerentes à práticas da antropologia.

Fortaleza (Brasil), setembro de 1984
Lyon, abril de 1985

BIBLIOGRAFIA

Adotevi, Stanislas. *Négritude et négrologues*. Paris: 10/18, 1972.
Auge, Marc. *Symbole, fonction, histoire*. Paris: Hachette, 1979. —; *Génie du paganisme*. Paris: Gallimard, 1982.
Auzias, Jean-Marie. *L'Anthropologie contemporaine*. Paris: PUF, 1976.
Balandier, Georges. *Sociologie des brazzavilles noires*. Paris: A. Colin, *1955*; *Sociologie actuelle de l'Afrique noire*. Paris: PUF, 1955; *Afrique ambiguë*. Paris: Plon, 1957; *Anthropologie politique*. Paris: PUF, 1967: *Anthropo-logiques*. Paris: PUF, 1974.
Bateson, Gregory. *La Cérémonie du Naven*. Paris: Ed. de Minuit, 1971.
Baldwin, James. *Le Racisme en question*. Paris: Calmann-Lévy, 1972.
Bastide, Roger. *Sociologie et psychanalyse*. Paris: PUF, 1950; *Le candomblé de Bahia*. Paris: Mouton, 1959; *Sociologie des maladies mentales*. Paris: Flammarion, 1965; *Le prochain et le lointain*. Paris: Cujas, 1970; *Anthropologie appliquée*. Paris: Flammarion, 1971; *Le Rêve, la transe, la folie*. Paris: Flammarion, 1972; *Images du nordeste mystique en noir et blanc*. Paris: Pandora, 1978.
Beattie, John. *Introduction à l'Anthropologie Sociale*. Paris: Payot, 1972.
Benedict, Ruth. *Echantillons de civilisations*. Paris: Gallimard, 1950.
Berque, Jacques. *Dépossession du monde*. Paris: Le Seuil, 1964.
Bougainville, Louis Antoine de. *Voyage autour du monde*. Paris: Gallimard, 1980.
Bradbury, R. E. et alii. *Essais d'anthropologie religieuse*. Paris: Gallimard, 1972.

BIBLIOGRAFIA

Buffon. *Histoire naturelle*. Paris: Gallimard, 1984.

Calame-Griaule, Geneviève. *Ethnologie et langage, la parole chez les Dogons*. Paris: Gallimard, 1965.

Castaneda, Carlos. *L'Herbe du Diable et la petite fumée*. Paris: 10/18, 1982.

Clastres, Pierre. *La société contre l'état*. Paris: Ed. de Minuit, 1974.

Condominas, Georges. *L'Exotique est quotidien*. Paris: Plon, 1977; *Nous avons mangé la forêt*. Paris: Flammarion, 1982.

Copans, Jean. *Anthropologie et impérialisme*. Paris: Maspero, 1975.

Delfendhal, Bernard. *Le Clair et l'obscur*. Paris: Anthropos, 1973.

Desroche, Henri. *Sociologie de l'espérance*. Paris: Calmann-Lévy, 1973.

Devereux, Georges. *Essais d'ethnopsychiatrie générale*. Paris: Gallimard, 1970; *Ethnopsychanalyse complémentariste*. Paris: Flammarion, 1972; *De l'Angoisse à la méthod e dans les sciences du comportement*. Paris: Flammarion, 1980.

Dieterlen, Germaine. *Les fondements de la société d'initiation Kamo*. Paris: Mouton, 1972; *Essai sur la religion Bambara*. Paris: PUF, 1951.

Douglas, Mary. *De la souillure*. Paris: Maspero, 1971.

Dournes, Jacques. *Forêt, femme, folie*. Paris: Aubier, 1978.

Duchet, Michèle. *Anthropologie et histoire au siècle des lumières*. Paris: Flammarion, 1971; *Le partage des savoirs*. Paris: Ed. La Découverte, 1985.

Dumont, Louis. *Homo hierarchicus*. Paris: Gallimard, 1966.

Durand, Gilbert. *Science de l'homme et tradition*. Paris: Sirac, 1975.

Durkheim, Émile. *Les Formes elémentaires de la vie religieuse*. Paris: PUF, 1979.

Duvignaud, Jean. *Chebika*. Paris: Gallimard, 1968.

Duviols, Jean-Paul. *Voyageurs français en Amérique*. Paris: Bordas, 1978.

Elkin, Adolphus Peter. *Les Aborigènes australiens*. Paris: Gallimard, 1967.

Elwin, Verner. *Maison des jeunes chez les muria*. Paris: Gallimard, 1959.

Engels, Friedrich. *L'Origine de la famille, de la propriété privée et de l'état*. Paris: Ed. Sociales, 1954.

Erny, Pierre. *L'Enfant et son milieu en Afrique noire*. Paris: Payot, 1972.

Evans-Pritchard, Edward-Evan. *Les Nuers*. Paris: Gallimard, 1968; *Anthropologie sociale*. Paris: Payot, 1969; *Sorcellerie, oracles et magie chez les Azandé*. Paris: Gallimard, 1972.

Evreux, Yves d'. *Voyage au nord du Brésil*. Paris: Payot, 1985.

Fanon, Frantz. *Peau noire, masques blancs*. Paris: Le Seuil, 1952; *Les Damnés de la terre*. Paris: Maspero, 1968.

Favret-Saada, Jeanne. *Les Mots, la mort, les sorts*. Paris: Gallimard, 1977.

Fortune, Réo F. *Sorciers de Dobu*. Paris: Maspero, 1972.

Foucault, Michel. *Les Mots et les choses*. Paris: Gallimard, 1966.

APRENDER ANTROPOLOGIA 203

Frazer, James George. *Le Rameau d'or*. Paris: Robert Laffont, 4 tomos, 1981-1984.

Freyre, Gilberto. *Maitres et esclaves*. Paris: Gallimard, 1974.

Gibbal, Jean-Marie. *Citadins et villageois dans la ville africaine*. Grenoble: PUG, 1974.

Gluckman, Max. *Order and rebellion*. Londres, 1966.

Godelier, Maurice. *Horizons, trajets marxistes en anthropologie*. Paris: Maspero, 1973.

Griaule, Marcel. *Masques Dogons*. Paris: Inst. d'Ethnologie. 1938; *Dieu d'eau*. Paris: Fayard, 1966.

Griaule, Marcel et Dieterlen, Germaine. *Le Renard pâle*. Paris: Inst. d'Ethnologie, 1965.

Hegel, Friedrich. *La Raison dans l'histoire. Introduction à la philosophie de l'histoire*. Paris: 10/18, 1979.

Helias, Pierre-Jakez. *Le Cheval d'Orgueil*. Paris: Plon, 1975.

Herskovitz, Melville J. *Les Bases de l'anthropologie culturelle*. Paris: Payot, 1967.

Heusch, Luc de. *Pourquoi l'epouser?* Paris: Gallimard, 1971.

Jaulin, Robert. *La Paix blanche*. Paris: Le Seuil, 1970; *Gens de soi. Gens de l'autre*. Paris: 10/18, 1973.

Kardiner. Abram. *L'Individu dans sa société*. Paris: Gallimard, 1970.

Kuhn, Thomas S. *La Structure des révolutions scientifiques*. Paris: Flammarion, 1983.

Lanternari, Vittorio. *Les Mouvements religieux des peuples opprimés*. Paris: Maspero, 1962.

Lawrence, Peter. *Le Culte du cargo*. Paris: Fayard, 1974.

Leach, Edmund. *L'Unité de l'homme*. Paris: Gallimard, 1980.

Leclerc, Gérard. *Anthropologie et colonialisme*. Paris: Fayard, 1972; *L'Observation de l'homme*. Paris: Le Seuil, 1979.

Leenhardt, Maurice. *Langues et dialectes de l'austro-mélanésie*. Paris: Institut d'Ethnologie, 1946; *Do Kamo*. Paris: Gallimard, 1985.

Leiris, Michel, *L'Afrique fantôme*. Paris: Gallimard, 1934; *La Possession et ses aspects théâtraux chez les éthiopiens de gondar*. Paris: Plon, 1958; *L'Age d'homme*. Paris: Gallimard, 1973.

Leroi-Gourhan, André. *Le Geste et la parole*. Paris: Albin Michel, 1964.

Lery, Jean de. *Histoire d'un voyage fait en la terre du Brésil*. Paris: Epi, 1972.

Lévi-Strauss, Claude. *Les Structures élémentaires de la parenté*. Paris: Mouton, 1947; *Tristes tropiques*. Paris: Plon, 1955; *Anthropologie structurale*. Paris: Plon, 1958; *Introduction à l'oeuvre de Marcel Mauss*. Paris: PUF, 1960; *Race et histoire*. Paris: Denoël,1961; *Le Cru*

204 BIBLIOGRAFIA

et le cuit. Paris: Plon, 1964; *Anthropologie structurale Deux.* Paris, Plon, 1973; *Le Regard Éloigné.* Paris, Plon, 1983.

Levy-Bruhl, Lucien. *La Mentalité primitive.* Paris: Alcan, 1933.

Lewis, Oscar. *Les Enfants de Sánchez.* Paris: Gallimard, 1963.

Linton, Ralph. *Les Fondements culturels de la personnalité.* Paris: Dunod, 1968.

Loude, Jean-Yves et Lievre, V. *Solstice païen.* Paris: Presses de la Renaissance, 1985.

Lowie, Robert. *Histoire de l'ethnologie classique.* Paris: Payot, 1971.

Makarius, Raoul. "Présentation" de Morgan, *La Société archaïque.* Paris: Anthropos, 1971.

Malinowski, Bronislaw. *Les Argonautes du Pacifique Occidental.* Paris: Gallimard, 1963; *La Sexualité et sa répression dans les sociétés primitives.* Paris: Payot, 1967; *Une Théorie scientifique de la culture.* Paris: Maspero, 1968; *La Vie sexuelle des sauvages.* Paris: Payot, 1970; *La Dynamique de l'Évolution Culturelle.* Paris: Payot, 1970; *Journal d'ethnographe.* Paris: Le Seuil, 1985.

Mauss, Marcel. *Sociologie el anthropologie.* PUF, 1960; *Manuel d'ethnographie.* Paris: Payot, 1967.

Mead, Margaret. *Moeurs et sexualilé en Océanie.* Paris: Plon, 1969.

Meillassoux, Claude. *Anthropologie économique des Gouros de Côte d'Ivoire.* Paris: Mouton, 1964.

Memmi, Albert. *La Statue de sel.* Paris: Gallimard, 1966.

Mercier, Paul. *L'Agglomération dakaroise.* Dacar: IFAN, 1954; *Histoire de l'anthropologie.* Paris: PUF, 1966.

Metraux, Alfred. *Le Vaudou haïtien.* Paris: Gallimard, 1958.

Monod, Jean. *Un Riche cannibale.* Paris: 10/18, 1972.

Muhlmann, Wilhelm E. *Messianismes révolutionnaires du tiers monde.* Paris: Gallimard, 1968.

Morgan, Lewis H. *La Société archaïque.* Paris: Anthropos, 1971.

Ortigues, Marie-Cécile et Edmond. *Oedipe africain.* Paris: 10/18, 1966

Panoff, Michel. *L'Ethnologue et son ombre.* Paris: Payot, 1968; *Bronislaw Malinowski.* Paris: Payot, 1972; *Ethnologie: le deuxième souffle.* Paris: Payot, 1977.

Paulme, Denise. *Une société de côte d'ivoire, hier et aujourd'hui. Les Beté.* Paris: Mouton, 1962.

Pouillon, Jean. "Présentation: un essai de définition", dossier "Problèmes du structuralisme", *Les Temps Modernes,* n° 246, nov. 1966, pp. 769-790.

Popper, Karl. *La Logique de la découverte scientifique.* Paris: Payot, 1973

Rabain, J. *L'Enfant du lignage.* Paris: Payot, 1979.

APRENDER ANTROPOLOGIA

205

Radcliffe-Brown, Alfred Reginald. *Structure et fonction dans la société primitive.* Paris: Ed. de Minuit, 1968.

Reed, Evelyn. *Féminisme et anthropologie.* Paris: Denoël, 1979.

Rey, Pierre-Philippe. *Colonialisme, néo-colonialisme et transilion au capitalisme.* Paris: Maspero, 1971.

Ribeiro, Darcy. *Maïra.* Paris: Gallimard, 1980.

Roheim, Géza. *Psychanalyse et anthropologie.* Paris: Gallimard, 1967; *Origine et fonction de la culture.* Paris: Gallimard, 1972.

Rouch, Jean. *La Religion et la magie songhay.* Paris: PUF, 1960.

Rubrouck, Guillaume de. *Voyage dans l'empire mongol.* Paris: Payot, 1985.

Sahlins, Marshall. *Au coeur des sociétés.* Paris: Gallimard, 1980.

Sapir, Edward. *Anthropologie.* Paris: Ed. de Minuit, 1967.

Segalen, Victor. *Les Immémoriaux.* Paris: Plon, 1982.

Tempels, Père. *La Philosophie Bantoue.* Dacar: Présence Africaine, 1949.

Terray, Emmanuel. *Le Marxisme devant les sociétés "primitives".* Paris: Maspero, 1969.

Thomas, Louis-Vincent. *Anthropologie de la mort.* Paris: Payot, 1965.

Thomas, Louis-Vincent et Luneau, R. *La terre africaine et ses religions.* Paris: Larousse, 1975.

Turnbull, Colin, *Un Peuple de fauves.* Paris: Colin, 1972

Van Ennep, Arnold. *Manuel de folklore français contemporain.* Paris: Picard, 1947-1972; *Les Rites de Passage.* Paris: Picard, 1981.

White, Leslie A. *The Evolulion of culture.* Nova Iorque: Mc Graw-Hill, 1959.

Wylie, Laurence. *Un Village du vaucluse.* Paris: Gallimard, 1968.

Zahan, Dominique, *Sociétés d'initiation Bambara.* Paris: Mouton, 1960; *La Dialectique du verbe chez les Bambara.* Paris: Mouton, 1963.

Zeldin, Théodore. *Les Français.* Paris: Fayard, 1983.

Sobre o autor

François Laplantine é professor de Etnologia na Universidade de Lyon II. É autor de *A etnopsiquiatria* (Éditions Universitaires, 1973), *As três vozes do imaginário*: O mecanismo, a possessão e a utopia (Éditions Universitaires, 1974), *A cultura do psi ou O desmoronamento dos mitos* (Privat, 1975), *A filosofia e a violência* (Presses Universitaires de France, *1976), Doenças mentais e terapêuticas tradicionais na África negra* (Éditions Universitaires, 1976), *A medicina popular na França rural hoje* (Éditions Universitaires, 1978), *Um vidente na cidade:* estudo antropológico do gabinete de consultas de um vidente contemporâneo (Éditions Payot, 1985) e *Antropologia da doença* (Éditions Payot, 1986).